
Pasión prohibida

This Large Print Book carries the
Seal of Approval of N.A.V.H.

Pasión prohibida

TORI CARRINGTON

Thorndike Press • Waterville, Maine

Published in 2006 by arrangement with Harlequin Books S.A.
Publicado en 2006 en cooperación con Harlequin Books S.A.

Thorndike Press® Large Print Spanish.
Thorndike Press® La Impresión grande española.

The tree indicium is a trademark of Thorndike Press.
El símbolo del árbol es una marca registrada de Thorndike Press.

The text of this Large Print edition is unabridged.
El texto de ésta edición de La Impresión Grande está inabreviado.

Other aspects of the book may vary from the original edition.
Otros aspectros de éste libro podrían variar de la edición original.

Set in 16 pt. Plantin.
Impreso en 16 pt. Plantin.

Printed in the United States on permanent paper.
Impreso en los Estados Unidos en papel permanente.

Library of Congress Cataloging-in-Publication Data

Carrington, Tori.
   [Forbidden. Spanish]
   Pasión prohibida / Tori Carrington.
      p. cm. — (Thorndike Press large print Spanish = Thorndike Press la impresión grande la española)
   ISBN 0-7862-8253-3 (lg. print : hc : alk. paper)
   1. Large type books. I. Title. II. Thorndike Press large print Spanish series.
PS3603.A77456F6718 2006
  813′.6—dc22
                                  2005028043

Pasión prohibida

Capítulo uno

CADA vez que llovía, Leah Dubois Burger pensaba en J.T. West. En cómo había deslizado sus fuertes dedos por su espalda, trazando un camino hasta su trasero. Brand la había marcado, la había reclamado como suya, y todo ello mientras le recordaba vívidamente lo que significaba ser una mujer.

Desgraciadamente, en Toledo, Ohio, llovía mucho en abril. Y J.T. no había vuelto a la ciudad desde hacía casi un año y medio.

Además, él era el responsable del mayor error de su vida.

Leah se apoyó contra el volante del coche y fijó la mirada en la lluvia que caía a cántaros sobre el parabrisas. Había apagado el motor, de modo que lo único que se oía era el rítmico repiqueteo de las gotas de lluvia sobre el techo del coche. Frente a ella distinguía las luces azules de neón del almacén Kroge. Eran sólo las siete de la tarde, pero las nubes habían provocado un prematuro anochecer. Leah sólo tenía que comprar una hogaza de pan. La necesitaba para prepararle el desayuno a Sami. Imaginó a su hija de once años esperando en su casa, en Ottawa Hills, terminando con los platos de la cena y hablándole a su padre por teléfono, como le gustaba hacer todas las noches a esa hora. Preguntándole cuándo iba a volver a casa.

Dan...

Leah esperó a que la emoción, cualquier emoción, surgiera. Había estado casada con un hombre durante once años y, durante los últimos tres meses, estaba asistiendo a terapia para intentar arreglar su matrimonio. Pero apenas pensaba siquiera en su ex marido.

J.T...

El estómago le dio un vuelco y el corazón comenzó a palpitarle con más fuerza que la de la lluvia chocando contra el asfalto. Era increíble la intensidad de aquella reacción, sobre todo, teniendo en cuenta que habían pasado seis meses desde la última vez que había visto a J.T. y había sido él el que la había inducido a una aventura que había terminado con su matrimonio y había convertido a su hija de once años en una preadolescente asustada. Pero ¿cómo iba a olvidar que la había hecho sentirse viva por primera vez en... bueno, en mucho tiempo? La verdad era que Leah no se había sentido tan viva, tan libre, desde aquel lejano agosto en el que tenía dieciséis años; J.T. apenas tenía dieciocho y el verano parecía haberse alargado eternamente, haciéndoles sentir que lo que ellos compartían no se acabaría nunca.

Pero había terminado...

... sólo para comenzar catorce años después. Cuando Leah estaba casada con otro hombre, después de que hubiera formado una familia y creyera haber madurado desde que había estado enamorada de J.T. West.

Las luces de un coche iluminaron aquella húmeda noche, haciéndola parpadear. Alargó la mano hacia el paraguas que había dejado en el asiento de pasajeros y vaciló un instante. Quizá la lluvia fuera exactamente lo que necesitaba para borrar los recuerdos de las tórridas semanas que había pasado amando a un hombre que, en dos ocasiones, había desaparecido de su vida tan repentinamente como había aparecido.

Fue caminando hacia el supermercado, aunque su cerebro le decía que debería ir corriendo. En cuestión de segundos, la blusa se le pegaba a la piel y tenía los pantalones empapados. Pero ni siquiera se preocupó de apartarse la melena de la cara. Una reacción curiosa para ser alguien que dedicaba una considerable cantidad de tiempo a mantener un estilo clásico y al mismo tiempo elegante. Al principio lo hacía porque era la hija de un juez y, años después, porque se había convertido en la esposa de un importante abogado. Pero, realmente, disfrutaba cuidando su aspecto, le gustaba tener una buena presencia, sentirse femenina. Y ésa era la razón por la que se permitía el capricho de la lencería erótica que siempre llevaba. Miró el reflejo que le devolvían las puertas del supermercado antes de que se abrieran. Y apenas reconoció a la mujer desaliñada que le devolvía la mirada. Aquel pelo empapado, la falta de expresión, su ropa desastrada... Imaginó que debería sentir algo al verse en ese estado. Pero la verdad era que no sentía nada.

Se obligó a entrar y pestañeó mientras acostumbraba su mirada a las potentes luces del interior. Le resultaba extraño que la vida continuara como si no hubiera pasado nada. En realidad, no sabía qué esperaba. Quizá que todo el mundo se detuviera, que la gente la mirara como si supiera lo que estaba pensando. O, mejor dicho, en quién estaba pensando. O que hicieran comentarios sobre su aspecto. Sin embargo, las cajeras continuaban leyendo los códigos de barras de los productos, los encargados atendiendo a la clientela y los repartidores metiendo en bolsas lo que habían comprado los clientes. Y nadie le prestaba la menor atención.

La vida, continuaba como siempre.

Pero entonces, ¿por qué ella no tenía esa sensación?

Tomó con aire ausente un cesto de la compra. Durante todo el día, había estado distraída y desorientada. Se había olvidado de lavarle a Sami la camiseta de béisbol y a su hija no le había hecho ninguna gracia. Había comido con su hermana Rachel, pero prácticamente no había probado bocado y apenas había reparado en la presencia de su hermana, más allá del hecho de lo contenta que estaba después de que Gabe Wellington hubiera puesto fecha para su boda. Su padre la había llamado cuando estaba preparando la cena y se había olvidado de añadir los huevos al pastel de carne, de modo que le había quedado seco y excesivamente crujiente. Y no estaba segura de cómo le sentaba que Sami se hubiera limitado a comentar que era mucho mejor el pastel de carne de la abuela mientras alargaba la mano hacia el bote de ketchup.

¿Cuándo había comenzado a convertirse su vida en algo tan... rutinario? ¿Tan aburrido?

—Oh, Leah, si la vida fuera todo rosas y velas... —recordaba que le había dicho su madre la noche de su baile de promoción—. Pero consuélate pensando que cuando las cosas van mal significa que nos quedan buenos tiempos por delante.

Leah se dijo que hacía mucho tiempo que no disfrutaba de los buenos tiempos. Ni siquiera de los tiempos más o menos normales.

O, por lo menos, que no pasaba unos minutos con su madre, que siempre se las arreglaba para hacerla sentirse mejor.

Pero Patricia Dubois había muerto de cáncer de mama un año y medio atrás.

Curiosamente, en la misma época en la que J.T. West había vuelto a cruzarse en su camino.

Leah fijó la mirada en la lata de sopa con fideos que tenía en la mano, y que no recordaba haber agarrado, sin saber cuánto tiempo llevaba mirándola realmente.

—El tiempo es imprevisible, ¿eh?

Leah alzó la mirada hacia la anciana que estaba a su lado.

—Sí, ¿verdad?

Consiguió esbozar una débil sonrisa, metió la lata en el cesto y continuó avanzando.

Pan. Había ido a comprar pan. Programó sus pies para que la encaminaran hacia la sección de la panadería. Quizá un buen baño caliente y un libro la ayudaran a salir de aquel extraño estado de ánimo. Y el chocolate. Montones de chocolate. Se detuvo al final del pasillo y, en vez de continuar caminando hacia donde estaba el pan, se dirigió a los estantes en los que la estaban esperando unas barritas deliciosas de chocolate con almendras.

Al lado de J.T. West...

Pestañeó. No, no era posible. Tenía que ser una jugarreta de su imaginación. La intensidad de su deseo había conjurado su presencia. Pero no. Cuanto más parpadeaba, más claramente lo veía. Estaba allí. Había vuelto a Toledo. Y la miraba como si ella fuera la única razón de su presencia.

Y si segundos antes Leah se sentía entumecida, en aquel instante cada uno de sus nervios chispeaba de vida.

J.T. West, la tentación hecha carne, era mucho más atractivo de lo que ningún hombre debería tener derecho a ser.

Permanecía al final del pasillo, apoyando un hombro contra la estantería y cruzando aquellas piernas largas y musculosas que llevaba enfundadas en los vaqueros. Su cazadora de cuero estaba notablemente seca y la camiseta blanca que llevaba debajo abrazaba sus abdominales justo allí donde debía hacerlo. La única prueba de que había estado bajo la lluvia era la humedad de su pelo. Un pelo negro como el azabache que caía rebelde sobre su frente, dándoles a sus ojos una calidad intensa incluso allí, bajo las brillantes luces del supermercado.

Y resultaba extrañamente pertinente que hubiera elegido el pasillo de los dulces para anunciar su presencia. Encajaba a la perfección en aquella sección de placeres prohibidos. Una sección decadente e ilícita.

Un estremecimiento recorrió su cuerpo, desde la cabeza hasta las puntas de los pies.

Tragó saliva.

Oh, Dios. J.T. West había vuelto.

J.T. no estaba seguro de por qué había elegido aquel momento para anunciarle a Leah su presencia. Había vuelto a Toledo cuatro días atrás, en su Harley. Y había estado siguiéndola desde entonces.

Así, de cerca, Leah Dubois Burger era mucho más atractiva que en sus recuerdos. J.T. hundió las manos en los bolsillos de los vaqueros por miedo a que éstas se dispararan automáticamente hacia aquella mujer tan inquietantemente bella. A pesar de las luces cegadoras del supermercado, y a pesar de que estaba empapada hasta los huesos.

—Hola, Leah.

Fijó la mirada en la elegante columna de su cuello mientras Leah tragaba saliva.

—J.T...

Le pareció que algo se tensaba en la boca del estómago al oírla susurrar su nombre a través de aquellos lujuriosos labios.

Ahogó un gemido.

¿Durante cuánto tiempo había imaginado ese momento? ¿El momento de volver a ver a Leah otra vez, de deleitarse en las hermosas facciones de su rostro? ¿Un mes? ¿Un año?

No, sabía exactamente desde cuando. Desde el momento en el que la había dejado durmiendo en la destartalada habitación de un motel. Y desde entonces habían pasado exactamente dieciséis meses, tres días y cuatro horas.

A partir de entonces, Leah se había convertido en una presencia constante en su vida. Como un recuerdo. Un suspiro.

Y cuando estaba despierto, no había pasado un solo instante en el que no hubiera maldecido aquel recuerdo imborrable. Había intentado reprimirlo. Olvidarse de Leah.

Pero mientras dormía, no podía orientar la dirección de sus pensamientos. Durante el sueño, Leah hacía desaparecer toda su fuerza de voluntad y él quedaba completamente a su merced. Y lo había llevado hasta donde estaba en aquel momento. Mirándola. Estudiándola. Intentando averiguar si ella había pensado en él tanto como él en ella.

De alguna manera, sabía que Leah había

pensado en él. Había pensado en ellos. Podía decirlo por la forma en la que se dilataban sus pupilas en medio de sus ojos oscuros. Por la profundidad de su respiración y la tensión de los pezones bajo la blusa húmeda.

J.T. sabía que si deslizaba los dedos por la cintura de su pantalón, la encontraría húmeda y caliente, dispuesta. Y en aquel momento no había nada que deseara más. Más que la comida que lo sustentaba. Más que el aire que necesitaba para respirar.

Más que el riesgo y su propia libertad.

Leah rompió el hechizo volviéndose hacia la estantería. Metió una barra de chocolate en su cesto y comenzó a alejarse. Retrocedió un instante y metió otra barra de chocolate antes de pasar por delante de él.

J.T. advirtió entonces que Leah no había dicho nada más que su nombre. Mientras la veía desaparecer al final del pasillo, se dijo que probablemente había sido un fuerte impacto para ella verlo después de tanto tiempo. Quizá incluso tuviera algún problema para convencerse de que de verdad estaba allí.

La mente de J.T. se pobló al instante de las múltiples maneras en las que podría demostrarle que realmente había vuelto.

Capítulo dos

«POR favor, deprisa».

Leah colocó sus escasas compras sobre la cinta de la caja registradora y rezó mentalmente para que la cajera fuera más rápido. Quería, no, necesitaba, salir cuanto antes de allí. Antes de que J.T...

Alguien colocó un paquete de cervezas Coors tras ella. El aire se le heló en los pulmones. No tenía que volver la mirada para saber quién era. Aquélla era la marca preferida de J.T.

—¿Señora? Su tarjeta, por favor.

Leah pestañeó y se quedó mirando fijamente a la cajera. Su tarjeta. Su cerebro registró entonces que le estaban pidiendo la tarjeta de crédito, pero no era capaz de sacarla del bolso.

—No tengo tarjeta —susurró.

La cajera introdujo un código y comenzó a registrar las compras.

Leah era extremadamente consciente de la presencia de J.T. tras ella. Sentía el magnetismo de su cuerpo arrastrándola hacia él, afectando al fluir de su sangre y a la dirección de sus pensamientos. Jamás en su vida

17

había conocido a alguien tan poderoso y tan cautivador como J.T. West. Bastaba que entrara en una habitación para que supiera que J.T. la deseaba.

La cajera dijo una cifra.

Pagar… tenía que pagar la compra.

Pero el cerebro de Leah se negaba a asimilar las órdenes más simples.

Buscó la cartera en el bolso. Las manos le temblaban de forma escandalosa. Cerró los ojos y tomó aire… Y al instante siguiente vio cómo terminaba el contenido de su bolso en el suelo.

Se agachó al mismo tiempo que J.T.

Leah tragó saliva. Dios, olía tan bien. Demasiado bien. Había algo en la manera en la que el detergente de su ropa se mezclaba con la fragancia almizcleña de su jabón y el olor a cuero de la cazadora, que parecía atraerla de una forma casi primitiva. La hacía pensar en arroyos de aguas claras y en espacios abiertos. Y en una pasión tan salvaje que la hiciera olvidarse hasta de su nombre.

—¿Señora? —dijo la cajera y repitió el precio de su compra.

En ese momento, Leah se olvidó de que no podía mirar a J.T. a los ojos. Olvidó que aquel hombre podía hipnotizarla con el color dorado de su mirada. Una mirada que la tentaba a contar las motas verdes que salpicaban aquellas profundidades castañas. Y la inducía a hacer cosas que, si pudiera pensar correctamente, no haría jamás.

—Yo lo pagaré —J.T. separó un par de billetes de un rollo que sacó del bolsillo trasero de los vaqueros.

—No, de verdad.

Leah se levantó y estuvo a punto de tirar otra vez el bolso. Y se dio cuenta de que ya era demasiado tarde. J.T. no sólo había pagado su compra, sino que estaba pagando en aquel momento las cervezas.

Leah lo miró fijamente mientras él le tendía la bolsa y señalaba con un gesto hacia la puerta. Sabía que debería decir algo. Darle las gracias por haber pagado su compra. Ofrecerse a devolverle el importe. Preguntarle qué estaba haciendo allí. Pero no era capaz de pronunciar palabra. De modo que salió disparada hacia su coche y se metió en él, olvidándose de la lluvia y de su desastroso aspecto.

Y no la sorprendió que J.T. se sentara a su lado, en el asiento de pasajeros.

Se la oyó tragar saliva en aquel diminuto espacio. Leah no estaba preparada para tanta intimidad. Con la oscuridad de la noche, la lluvia repiqueteando sobre el techo del coche y la esencia de J.T. invadiendo sus sentidos, lo único que podía hacer era no dejarse arrastrar por lo evocador de aquella situación.

—¿Cuándo has vuelto?

Sus palabras le sonaron casi jadeantes y se preguntó si J.T. podría oír los latidos de su corazón en el silencio del coche.

J.T. la miró con los ojos entrecerrados.

—¿Eso importa?

No, no importaba. Pero aquella respuesta implicaba que llevaba más de un día en la ciudad. Al pensar en ello aumentó la humedad entre sus muslos. Saber que J.T. había estado en la ciudad durante un prolongado período de tiempo le hacía verlo todo de una forma completamente distinta. En parte porque cuando se había marchado, año y medio atrás, Leah pensaba que había dejado para siempre la ciudad.

Y sin embargo, allí estaba. Sentado en su coche y haciéndole recordar con vívida claridad lo dulce que era besar su habilidosa boca. O lo emocionante que era sentir sus brazos alrededor.

Y lo mal que estaba que deseara ambas cosas.

—Dan y yo estamos en un proceso de reconciliación —le dijo.

Aquello provocó la respuesta inmediata de J.T. Bajó la mirada y la fijó después en el parabrisas. Las luces de un coche que pasaba ante ellos iluminó sus facciones, duras como el granito.

—¿Te has divorciado?

Leah se mordió el labio inferior y desvió la mirada. Asintió, preguntándose hasta qué punto era sensato revelarle que era una mujer libre.

Oh, «libre» era una palabra tan poco adecuada que la hizo estremecerse. En aquel momento no era más libre que dieciséis meses atrás. Dan y ella se estaban reconciliando. Por el amor de Dios, si incluso estaban empezando a pensar en la fecha en la que Dan volvería a casa. Su hija, Sami, hablaba constantemente de la vuelta de su padre. La familia de Leah estaba empezando a aceptar la reconciliación e incluso estaban pensando en organizar una cena en Pascua.

Y ella continuaba deseando al hombre que estaba a su lado con una violencia que la asustaba.

Leah sintió la mano de J.T. en la mejilla. Le resultaba tan natural sentir su mano callosa contra la piel que, en vez de retroceder, se permitió cerrar los ojos e inclinarse contra aquel contacto.

—¿Lo amas?

Leah sintió que el corazón se le hundía en el pecho. Pestañeó ante la intensidad de su mirada. J.T. le había hecho esa pregunta en otra ocasión. La primera noche que se habían encontrado.

Leah no había contestado entonces. Y no había querido volver a hacerse esa pregunta.

—J.T., no creo que esto sea buena idea. Sami me está esperando en casa. Me alegro de verte otra vez, y de que las cosas te vayan bien…

—Bésame, Leah.

Eran unas palabras tan simples, tan francas… Y tuvieron el efecto de una apisonadora en sus buenas intenciones.

Leah eliminó los centímetros que los separaban e hizo lo que J.T. le pedía.

«Oh, Dios. Oh, Dios…».

Sabía tan bien. Mejor de lo que ella recordaba. Sus labios eran tan suaves, tan maleables… Su lengua era como el fuego mientras se deslizaba en su boca.

La respiración de Leah se aceleró. La sangre fluía por sus venas, incitando a sus brazos a ponerse en acción. Sus manos se abrieron paso hasta el húmedo pelo de J.T. Su pecho encontró el camino para estrecharse contra él. Y su boca se dejó devorar de tal manera que Leah llegó a temer que pudiera incendiar todo su cuerpo.

J.T. la tomó por la barbilla y la miró a los ojos.

—¿Estás segura de que es esto lo que quieres? —le preguntó.

«Sí».

«¡No!».

Leah no sabía lo que quería. Lo único que realmente deseaba era que aquello que estaba sintiendo nunca terminara.

Su silencio fue toda la respuesta que J.T. necesitaba. Inmediatamente, la atrajo hacia él hasta hacerla sentarse en su regazo, con las piernas estiradas sobre el asiento del conductor. Leah notó inmediatamente su erección. Gimió y fundió su boca con la de J.T., temiendo lo que podría pasar si continuaban abrazados, y temiendo lo que podría pasar si no lo hacían. Alzó la mano hasta la cazadora, la abrió y apartó el suave algodón de la camiseta. Recordaba a J.T. duro como una roca y pudo descubrir entonces que no había cambiado. De hecho, parecía incluso más fuerte. Estaba más delgado quizá. De su cuerpo emanaba una energía peligrosa que arrastraba a Leah a un mar de sentimientos contradictorios.

No se dio cuenta de que J.T. le había desabrochado la blusa hasta que sintió su lengua lamiendo la parte superior de su seno. Leah estiró el cuello y apretó los dientes. Un escalofrío recorrió su espalda, haciéndola temblar de los pies a la cabeza. J.T. tomó sus

23

senos y los presionó suavemente, forzándolos a asomarse a través de la copa de encaje del sujetador. Posó su boca sobre uno de los pezones y Leah gimió al tiempo que clavaba las uñas en sus hombros.

Con dedos torpes, buscó y encontró la cremallera de los vaqueros. La bajó y buscó en su interior hasta alcanzar la descomunal erección de J.T. La boca se le hacía agua al pensar en saborearlo. En extraer su semen agridulce. En oírlo gritar su nombre mientras enredaba los dedos en su pelo y la retenía firmemente contra él.

Con movimientos acelerados y torpes, colaboró con J.T. mientras éste le quitaba los pantalones y se sentó a horcajadas sobre él. La rodilla derecha chocaba contra la consola y la pierna izquierda rozaba la puerta. Pero no le importaba. En lo único que era capaz de concentrarse era en lo mucho que deseaba a aquel hombre. En lo excitada que estaba, en lo excitado que estaba él. Y en la certeza de que J.T. era el único hombre capaz de encender aquel fuego en su interior.

Se colocó de manera que el pene de J.T. pudiera encontrarse con la humedad de su sexo. Y gimió cuando él la agarró bruscamente por la muñeca.

—No —gruñó.

Leah tuvo la sensación de que se quedaba

sin aire en los pulmones.

—No, así no. En un coche no. Y tampoco tan pronto.

Leah parpadeó. Era incapaz de pronunciar palabra.

J.T. se quedó mirándola fijamente durante largo rato y la dejó de nuevo en el asiento del conductor. Leah lo miró estupefacta mientras él se arreglaba la ropa con el mismo control con el que lo hacía todo, se reclinaba en el asiento y la miraba con los ojos llenos de preguntas y misterios.

—Me alegro de haberte visto, Leah —musitó.

Salió del coche y cerró la puerta.

J.T. permanecía solo en el aparcamiento, dejando que lo empapara la lluvia primaveral mientras observaba desaparecer en la noche las luces traseras del coche de Leah. Ella regresaba a aquella enorme y confortable casa que la estaba esperando a sólo unos kilómetros al oeste. A aquella casa que durante los últimos doce años había considerado su hogar. Una casa descomunal, aunque muy diferente a aquélla en la que había crecido. J.T. había visitado las dos casas y se había dado cuenta de que él no pertenecía a ninguno de ellas. De la misma manera que había sabido que Leah tampoco habría encajado nunca en la herrumbrosa caravana en la que él había vivido con sus padres o en los viejos moteles a los que había llamado últimamente su hogar.

Pero si algo había llegado a comprender en sus treinta y dos años de vida, y, especialmente en el último año y medio, era que todas aquella parafernalia tenía muy poco que ver con los auténticos deseos y necesidades de los seres humanos. Y, si los últimos treinta minutos significaban algo, era evidente que él deseaba, necesitaba a Leah a un nivel que no era ni siquiera capaz de comenzar a comprender. Lo único que sabía era que tenía que explorar aquel sentimiento. Aunque sólo fuera para poder dejar a Leah y lo que había habido entre ellos en el pasado, en un pasado tan lejano que le permitiera por fin descansar.

El agua goteaba por su rostro, le empapaba la camiseta y descendía por su cazadora, pero aun así era incapaz de moverse. Lo que había experimentado anteriormente con Leah había sido muy profundo. Pero lo que había pasado entre ellos minutos antes lo había sacudido hasta los huesos. No había vuelto a tener relaciones sexuales en un coche desde que tenía dieciocho años. Y, curiosamente, en aquella ocasión también había sido con Leah. Había estado a punto de hacer el amor con Leah, que tan generosa y ansiosamente se le había ofrecido. Y había experimentado un deseo tan intenso de enterrarse en su carne dulce y ardiente, que en ese momento todo lo demás le había parecido irrelevante. Incluso su libertad.

Desvió entonces la mirada hacia un coche que entraba en el aparcamiento. Un coche blanco y azul con el anagrama del departamento de policía de Toledo. J.T. hundió las manos en los bolsillos de los vaqueros, se volvió y se dirigió hacia su moto. Oyó que el coche patrulla pasaba lentamente a su lado y continuaba avanzando mientras él se ponía el casco. El coche de policía abandonó el aparcamiento y desapareció en la carretera, no así la importancia de su propia reacción. Porque J.T. continuaba sintiendo latir su corazón contra el pecho.

Si necesitaba recordarse hasta qué punto se la estaba jugando al haber vuelto a Toledo, al quedarse en un lugar durante más tiempo del que era conveniente para su propia seguridad, acababa de tener una prueba de ello. Aunque el coche patrulla y los oficiales no se hubieran fijado en él aquel día, podían hacerlo al día siguiente. O al siguiente. Y eso no le dejaría tiempo para llevar a cabo lo que tanto necesitaba hacer.

La moto se puso en marcha con un quedo rugido que parecía un eco de sus propios sentimientos. Era mucho lo que estaba en juego. Y no tenía ninguna garantía. Pero necesitaba averiguar si Leah sólo era una aburrida mujer de clase media que estaba buscando un poco de diversión con el chico malo de sus días de juventud o si realmente lo amaba. Y no iba a marcharse de allí hasta que lo hubiera averiguado.

Capítulo tres

—NECESITO ese permiso para poder ir de excursión. Y no encuentro mis pantalones de voleibol.

Leah entrecerró los ojos para protegerse del fuerte sol matutino que entraba a raudales por la puerta de la terraza mientras deslizaba unas lonchas de pavo entre dos rebanadas de pan. El pan que había ido a comprar al supermercado la noche anterior. Y el pan que había desencadenado una larga y agitada noche rebosante de anhelo por un hombre al que no debería desear.

—No encuentras tus pantalones de voleibol porque están en el cesto de la ropa sucia, esperando a que los lave —metió una hoja de lechuga en el sándwich—. ¿Y se puede saber de qué excursión me estás hablando?

—¿No me has lavado los pantalones?

Sami se retiró por fin de la ventana. A Leah nunca dejaba de sorprenderla que una niña de once años pudiera encontrar tantos motivos para estar enfadada. Los ojos azules de su hija relampagueaban y su melena castaña clara parecía crepitar de electricidad.

—No —contestó Leah mientras cortaba el sándwich en dos partes y lo metía en una bolsa—. No te he lavado los pantalones, Sami. Y tú no me has dicho nada de la excursión.

Su hija continuaba ignorando su pregunta. Giró sobre sus talones y se dirigió hacia el cuarto de la lavadora. Leah le metió el sándwich en la mochila, junto a una pera, una zanahoria y un zumo, y observó a su hija buscando en el cesto de la ropa sucia los pantalones, que sacó completamente arrugados y llenos de barro.

—¡No puedo ponerme esto! —gritó.

Leah estiró el cuello, miró el reloj y volvió a preguntar:

—¿Qué es esa excursión?

Sami la fulminó con la mirada, cruzó la cocina a grandes zancadas hasta llegar a una mesa abarrotada y, una vez allí, sacó un papel de entre muchas facturas.

—Ésta.

Sami le dejó el papel en el mostrador y salió de la habitación. Leah lo leyó y limpió la gota de mostaza que tenía en la parte de atrás. Al parecer, dos semanas atrás la profesora de historia de su hija había pedido una autorización para poder llevarla al Museo de Arte de Toledo. Leah estaba prácticamente segura de que su hija no le había dicho nada de aquella excursión. Pero, teniendo en cuenta el estado mental en el que se encontraba últimamente, no podía culpar a Sami de lo ocurrido. Decir que últimamente no estaba muy pendiente de lo que sucedía a su alrededor era algo tan obvio como decir que el café era negro…

Y hablando de café…

Miró con añoranza la cafetera vacía y dio un respingo al oír el portazo que acababa de dar su hija en el dormitorio.

Cerró los ojos un instante, intentando recordar que, no hacía mucho tiempo, Sami y ella eran buenas amigas. Bueno, quizá no buenas amigas, pero había entre ellas un nivel de respeto, cariño y confianza similar al que Leah había compartido con su propia madre.

Pero en aquel momento, parecía que, ante los ojos de su hija, no era capaz de hacer nada bien. Y, algunos días, se descubría a sí misma debatiéndose entre encerrar a la niña en el sótano o salir huyendo de allí para siempre.

Por supuesto, sabía exactamente el momento en el que había cambiado su relación. Había sido un año y medio atrás, cuando le había dicho a Sami que su padre y ella iban a separarse.

Y el motivo de aquella separación era el

mismo hombre que provocaba en ese momento sus distracciones.

Habían pasado dos días desde que se había encontrado con J.T. West en el aparcamiento. Dos días desde que J.T. se había montado en su coche y Leah había rememorado lo que era ser... lo que era, sencillamente, ser. Sentirse como una mujer. No como la madre de nadie. No como la hija de nadie. No como la ex esposa de un hombre que estaba buscando la manera de restablecer su relación. Prácticamente, podía decirse que había atacado abiertamente a J.T. en el coche.

Habían pasado dos días desde que lo había visto por última vez. Dos días durante los que no había dejado de preguntarse si continuaría todavía en la ciudad. Dos días desde que se repetía por las noches que en realidad no había pasado nada entre ellos. Que sólo se habían besado. Nada más. Y nada menos. Y no había nada malo en ello porque, legalmente, Dan y ella todavía no se habían reconciliado. Continuaban divorciados. Dan no vivía en su casa.

Pero sus argumentos no hacían la menor mella en el sentimiento de culpabilidad que desgarraba sus entrañas.

Leah apretó los ojos. Pero, peor que la culpa, era saber que todos los sentimientos y los pensamientos relacionados con J.T. eran puramente carnales. Y lo que continuaba abrasando su mente era el momento en el que había vuelto a verlo en el supermercado. Porque en aquel instante, había tenido la sensación de que apenas había pasado un día desde que lo había visto por última vez, en vez de dieciséis largos y brutales meses. Meses durante los que Leah había estado intentando recomponer las piezas de un corazón y una vida rotos, aunque en el fondo estaba convencida de que no había pegamento en el mundo capaz de llevar a cabo aquella monumental tarea.

Se humedeció los labios, recordando que cuando había besado a J.T. el deseo se había encendido como un cohete, en absoluto amortiguado por el tiempo que habían pasado sin verse y por todo lo que desde entonces había pasado. De hecho, Leah deseaba a J.T. más que nunca. Y, durante dos noches seguidas, había estado retorciéndose en la cama, deseándolo con una intensidad que la dejaba sin aliento.

—Me llevaré tus pantalones cortos para el partido.

Leah pestañeó mientras enfocaba la mirada en el rostro enojado de su hija. Sami la miró con los ojos entrecerrados y señaló con la cabeza los pantalones en cuestión. En realidad, aquellos pantalones no eran realmente de deporte, pero Leah no iba a replicar que Sami tenía por lo menos dos pares de pantalones más que aceptables en su propia cómoda.

Leah firmó el permiso para la excursión, lo guardó y le tendió la mochila a su hija.

—¿No vas a llevarme en coche esta mañana?

Hacía un día cálido y soleado. Y la escuela a la que Sami asistía estaba a menos de medio kilómetro de la casa. Pero normalmente, Leah llevaba en coche a su hija.

Leah dio media vuelta y se guardó su propio almuerzo, una ensalada de atún.

—No, hoy voy en dirección contraria. Tengo una clase a primera hora.

Sami suspiró y elevó los ojos al cielo.

—No sé por qué tienes que ir a la escuela. La escuela es para los niños. Y tú ya no eres una niña.

Como si necesitara que se lo recordaran.

Pero poco después de que Dan se hubiera ido de casa, cuando Leah todavía estaba intentando averiguar lo que iba a hacer con su aventura con J.T., había decidido que quería volver a estudiar para terminar los estudios de empresariales a los que había renunciado cuando se había casado con Dan.

—Quizá lo comprendas cuando cumplas unos cuantos años —le contestó—. Y ahora será mejor que te vayas si no quieres llegar tarde.

—Estoy deseando que venga papá para que esta casa vuelva a ser normal —farfulló Sami. Agarró su sudadera y salió dando un portazo.

Leah se la quedó mirando, reprimiendo un estremecimiento. ¿Normal? Le habría gustado preguntarle a Sami qué consideraba exactamente normal. ¿Que Leah viviera sólo para su marido y para su hija? ¿Que se asegurara de que tuviera siempre los jerséis y los pantalones limpios, de que hubiera siempre gas en la cocina y de que la llevara al colegio?

Al parecer, Sami necesitaba que tuvieran otra conversación. Aunque no creía que eso supusiera ninguna diferencia en su relación. Leah tenía la deprimente sensación de que su hija y ella jamás volverían a entenderse.

Agarró su propia chaqueta y se la puso mientras recogía los libros y el almuerzo y cerraba la puerta. No había metido el coche en el garaje porque Sami había decidido pintar su bicicleta y la bicicleta en cuestión todavía no se había secado y estaba justo en el lugar en el que Leah solía dejar el coche.

Abrió la puerta del maletero y metió allí el almuerzo y los libros. Después se sentó tras el volante. Puso el coche en marcha y desvió la mirada hacia el asiento de pasajeros, donde J.T. había estado sentado dos noches atrás. Pero en aquel momento no estaba allí. Y en vez de J.T. descubrió una bolsa con el logotipo de una panadería, junto a un vaso de café y una rosa.

A Leah le dio un vuelco el corazón al sentir el aroma de los dulces y el café. El sonido de una moto le llamó de pronto la atención. ¿Estaría J.T. por allí? ¿Estaría vigilándola, para ver cómo reaccionaba ante aquella sorpresa? Leah no vio nada, salvo la habitual actividad mañanera de sus vecinos: los adultos yendo al trabajo, los niños al colegio y los repartidores de periódicos dejando un ejemplar en cada puerta.

Pero tuvo una sensación de anticipación tan sobrecogedora que las piernas le temblaron.

J.T. estaba todavía en al ciudad.

La perspectiva de volver a tiempo encendía todo su cuerpo y, al mismo tiempo, la aterraba.

J.T. aparcó bajo un árbol, detrás de una pequeña furgoneta, y observó a Leah escudriñando la calle, sin duda alguna buscándolo a él. Sabía, porque durante la semana anterior había podido hacerse una idea aproximada de cuál era su rutina, que tenía clase a primera hora de la mañana. Y como la había visto encendiendo y apagando la luz de su habitación cada media hora entre las once y la una de la madrugada, sospechaba que iba a necesitar una buena dosis de cafeína aquella mañana. Al ver a su hija saliendo furiosa de casa y fulminando la puerta con la mirada, había llegado a la conclusión de que sus esfuerzos debían de haber sido doblemente apreciados.

J.T. tensó los dedos en las empuñaduras del manillar de su moto. Por supuesto, la sorpresa había sido algo más que un gesto premeditado. La verdad era que quería que Leah supiera que todavía estaba allí, y que, de momento, no tenía intención de marcharse a ninguna otra parte.

Tras haberla vuelto a besar después de tanto tiempo y descubrir que continuaba allí la explosiva atracción que los había unido en un principio, se había dado cuenta de que su misión iba a llevarle más tiempo del que pensaba. Iba a ser todo un desafío ir más allá de aquella incendiaria atracción para comprobar si existía entre ellos algo más significativo, más esencial. Y pretendía darse todo el tiempo que necesitara para descubrirlo. A pesar de la profunda ansiedad que corroía su interior cada vez que pensaba en ella, cada vez que la veía o cada vez que necesitaba trascender lo puramente físico.

Habían recorrido ese mismo camino en el pasado. Y los había dejado en el mismo lugar en el que se encontraban en aquel momento: Leah divorciada y a punto de culminar un proceso de reconciliación con su ex esposo. Y él deseándola tan terriblemente que se despertaba empapado por las noches. Y ambos preguntándose lo que ocurriría si... Básicamente, los había dejado en ninguna parte.

Leah abandonó el camino de su casa, un edificio de estilo colonial y salió en dirección contraria a la de J.T. Un hombre de edad abrió la puerta de la casa frente a la que estaba J.T., se agachó a recoger el periódico y se quedó mirando al motorista fijamente, con abierta curiosidad y sin disimular tampoco su recelo.

J.T. lo saludó con la cabeza, puso la moto en marcha y giró en dirección contraria a la que había tomado Leah, sintiendo la brisa fresca de la mañana sobre la piel y entrecerrando los ojos para protegerse del sol.

Todavía no estaba listo. Continuaba sumido en la oscuridad. No estaba en absoluto preparado. Aquellas tres descripciones encajaban perfectamente con su situación. En lo relativo a relaciones sentimentales, su experiencia era nula, sencillamente, porque jamás en su vida había tenido oportunidad de aprender aquel difícil arte. El cielo sabía que su padre, Delbert, había hecho todo lo que estaba en su mano. Como hijo de un mecánico, Delbert había crecido utilizando poco el diccionario y sirviéndose de sólo un puñado de palabras. Y había educado a su hijo de la misma forma, mientras viajaban de ciudad en ciudad en busca de un trabajo y una vida mejores. Para J.T., la única vez que había conseguido aquel objetivo había sido durante el verano de sus dieciocho años, cuando había conocido a Leah, que tenía entonces dieciséis, y había disfrutado por primera vez del sabor de una mujer cuyo recuerdo lo perseguiría desde entonces.

La mente de J.T. voló hacia su padre. Delbert no había dicho nada cuando J.T. había conseguido una beca que le permitiría ir a la universidad, pero éste sospechaba que lo había desilusionado que su hijo no siguiera sus pasos y se convirtiera en un buen mecánico. Y el buen hombre apenas se había limitado a asentir apesadumbrado cuando la vida se había convertido en una trampa mortal, dejando a una mujer muerta y a un joven J.T. huyendo constantemente tras haber sido injustamente acusado, destrozándole así cualquier futuro que pudiera haber imaginado para sí mismo.

Durante los diez años siguientes, había viajado de ciudad en ciudad sin establecerse nunca en ninguna parte. Una forma de vida para la que los constantes desplazamiento de su padre lo habían preparado. Al principio, había conseguido algún que otro trabajo mínimamente remunerado para cubrir sus gastos, pero eso implicaba tener que dejar su nombre y su número de afiliado a la Seguridad Social. Después, le había alquilado una habitación a un hombre mayor que le había enseñado todo sobre la carpintería. Y de esa forma había encontrado el trabajo ideal para un hombre que no podía permitirse el lujo de permanecer en el mismo lugar durante mucho tiempo.

J.T. cambió de marcha, resistiendo las ganas de aumentar la velocidad. Teniendo en cuenta hasta qué punto se había resistido a trabajar como mecánico, lo había sorprendido darse cuenta de lo mucho que le gustaba trabajar con las manos. Más que eso, realmente disfrutaba sintiendo los pedazos de madera virgen bajo sus dedos, escuchando a la madera mientras ella le indicaba cómo debía cortarla; después, cedía a su voluntad y como resultado, se transformaba en un mueble que no sólo era funcional, sino que conservaba la marca de su belleza original.

Aunque no de la misma forma que Leah se había abierto a él bajo sus manos, liberando a la joven que él había conocido años atrás, una joven valiente, que no le tenía miedo a nada. Apasionada, ávida, demandante... Tan diferente a la mujer en la que se había convertido, una mujer cuyos ojos no reflejaban emoción alguna y cuyos movimientos parecían autómatas, sin vida.

En una ocasión, Leah le había dicho que adoraba sentir su piel áspera contra la suya...

J.T. se frotó la barbilla. Había conocido a muchas mujeres en su vida, incluyendo aquélla que había terminado robándole la libertad, y todavía tenía que determinar qué tenía Leah Dubois Burger para conmoverlo tan profundamente.

Pero si había algo que pretendía hacer antes de abandonar Toledo, era, no sólo desentrañar si ella sentía lo mismo por él, sino si estaba dispuesta a aceptar en quién se había convertido J.T.

Capítulo cuatro

QUEDA conmigo esta noche a las diez. Leah permanecía fuera del coche, en la Universidad de Toledo. El sol del medio día acariciaba su rostro y los dedos le temblaban mientras sostenía aquel pequeño pedazo de papel que había encontrado bajo uno de los limpiaparabrisas. El anhelo que había estado abrasando sus venas durante la semana anterior la hizo estremecerse. J.T. había escrito el nombre de un pequeño bar situado a las afueras de la ciudad. No había firmado la nota. Pero Leah no creía que ninguno de sus compañeros veinteañeros le hubiera dejado una nota así. No, definitivamente, era de J.T.

Se guardó el papel en el bolsillo del pantalón, abrió la puerta del coche y se metió. Durante largos segundos, continuó con la mirada fija en el parabrisas.

Tragó saliva. No podía ir. No debería.

Miró con aire ausente el reloj de muñeca y tardó en recordar que había quedado con Dan en la consulta del terapeuta. Tenía que estar allí al cabo de media hora. Aquél era el único día del mes que se veían a la hora del almuerzo.

Tomó el teléfono móvil. Nunca había cancelado una cita hasta entonces. ¿Pero cómo iba a enfrentarse a su ex marido y al psicólogo sintiéndose como se sentía?

¿Y cómo se sentía?

Nerviosa, ansiosa, viva. Como la mujer que en otro tiempo había sido, una mujer que no necesitaba expresar su sexualidad en la lencería que escondía bajo la ropa, sino que la reflejaba en todo lo que hacía.

Estúpida.

Pestañeó con fuerza. ¿No había recorrido ya ese mismo camino? ¿No se lo había jugado todo por un hombre que era un experto en desaparecer? ¿Que no le ofrecía nada que fuera más allá del momento, del aquí y el ahora? ¿No había sacrificado su matrimonio, su relación con su hija y la única forma de vida que había conocido hasta entonces por unas cuantas horas en los brazos de un hombre?

Alargó la mano para tomar el teléfono móvil que había dejado en el bolso y que acababa de sonar. Miró quién la llamaba. Era su hermana, Rachel.

Leah consideró la posibilidad de no contestar.

Rachel tenía unos años menos que ella y era infinitamente más feliz. Faltaban sólo dos meses para que se casara con el hombre de sus sueños. Un hombre con un pasado más oscuro incluso que el de Leah, pero con un corazón tan grande como todo Ohio. Y bastaba mirar a Gabe Wellington para ver lo mucho que quería a Rachel.

¿La habría mirado Dan alguna vez de aquella manera? Leah cerró los ojos brevemente, intentando recordar. No, nunca la había mirado así. O quizá sí. A lo mejor, al principio de su relación.

—Por un momento he pensado que no ibas a contestar —dijo su hermana, cuando Leah por fin contestó, justo antes de que se activara el buzón de voz.

«Ojalá no lo hubiera hecho», pensó Leah.

—Estaba terminando una clase —mintió.

—¿Dónde vas a almorzar?

Leah miró de nuevo el reloj, como si le hiciera falta. En realidad, sabía la hora que era en cada momento del día.

—Tengo que estar en el psicólogo dentro de veinte minutos.

—Oh...

—¿Y qué significa eso exactamente?

Se produjo un largo silencio.

—No pareces tú misma, Leah, ¿qué te pasa?

Rachel. La más inteligente de las dos hermanas, que no sólo había ido a la universidad, sino que había llegado a convertirse en abogada y era concejala de la ciudad.

A veces Leah la odiaba.

Pero siempre la adoraba.

—Nada. Supongo que esta noche no he dormido bien. Y Sami me ha montado un numerito esta mañana porque no le había lavado los pantalones de voleibol.

—¿Y vas a ir en ese estado al psicólogo? Deberías anular la cita y quedar conmigo para tomarte un margarita.

Leah suspiró y se reclinó contra el asiento, preguntándose si alguna vez abandonaría su pecho el tumulto de sentimientos confusos que lo abarrotaba.

—No sabes cuánto me apetecería.

—Entonces hazlo. Podemos vernos en el Carmel a las diez.

Leah abrió la boca para rechazar el ofrecimiento, pero Rachel ya había colgado. Presionó con aire ausente el botón de desconexión y se quedó mirando absorta el teléfono. Nunca había cancelado una sesión. Seguramente, anular aquélla no le haría ningún daño.

Llamó al despacho de Dan, pero le dijeron que ya había salido.

Debería ir. Probablemente Dan ya estaba de camino, si es que no había llegado ya a la consulta.

Marcó después el teléfono del terapeuta y le dijo a su secretaria que no podía ir, pero que acudiría a la próxima sesión. Inmediatamente, desconectó el teléfono, lo metió en el bolso y lo volvió a sacar para desviar todas las llamadas al buzón de voz. En el instante en el que terminó la operación, sintió el corazón más ligero, como si ya nada pudiera detener las mariposas que aleteaban en su vientre.

Oh, Dios, jamás había necesitado como entonces un margarita.

—Gabe quiere que me vaya a vivir a su casa después de la boda —le contó Rachel. Estaba sentada frente a ella, en un restaurante mexicano.

Rachel deslizó el dedo por la sal del borde de su vaso y se lo chupó. Jamás había sido una gran bebedora y sabía por experiencia que no sería capaz de terminarse ni un cuarto del brebaje que tenía ante ella. Pero, de alguna manera, la hacía sentirse mejor beber de un vaso grande que de otro más pequeño.

—¿Y el problema es...?

—El problema es que yo acabo de comprarme una casa, la he reformado por completo y sólo llevo viviendo allí tres meses. No quiero volver a mudarme —bebió un sorbo de su propio margarita y cruzó los brazos encima de la mesa—. Además, me horroriza vivir en ese mausoleo que Dan considera su casa.

Leah sonrió.

—No creo que sea para tanto. La casa de los Wellington forma parte de la historia de la ciudad.

—En ese caso, Gabe debería convertirla en un museo o algo parecido.

Leah apenas conocía la propiedad de los Wellington, más allá de sus jardines y de la torre con chapiteles que parecían más propios de un castillo. Había recibido invitaciones de su hermana en un par de ocasiones, pero tenía la sensación de que Rachel pasaba el menor tiempo posible en aquella casa y estaba intentando encontrar razones para alejarse de allí.

—No es mucho más grande que la casa de nuestros padres.

—Sí, pero nuestra casa es diferente. Incluso ahora que papá está solo, parece... no sé, un verdadero hogar.

Leah inclinó la cabeza y miró a su hermana.

—¿No crees que Gabe también la considera un hogar? Sobre todo, teniendo en cuenta que no tiene más familia.

Rachel se pasó la mano por el pelo e hizo una mueca.

—Dios, sabía que llegaría un momento en el que tendría que arrepentirme de que hubieras ido al psicólogo. Empiezas a hablar como uno de ellos. Lo próximo que harás será hacerme un diagnóstico y recetarme tranquilizantes o algo parecido,

Rachel la fulminó con la mirada, alegrándose de poder olvidar sus propios problemas durante un tiempo precioso y concentrarse en los de su hermana. ¿Por qué sería mucho más fácil solucionar los problemas de los demás que los de uno mismo? Quizá porque en esa ecuación no se consideraba el factor emoción. O quizá porque la opinión de alguien de fuera era un poco más objetiva,

O quizá porque aun sabiendo que los problemas propios podían resolverse de manera más o menos fácil, se los ignoraba por esa misma razón.

Rachel la miró con los ojos entrecerrados.

—Oh-oh. Conozco esa mirada. ¿Qué te pasa?

Leah pestañeó. Había olvidado que su hermana había sido la primera en adivinar su aventura con J.T. año y medio atrás. Y allí estaba ella, tomándose una copa con la única persona capaz de averiguar lo que estaba ocurriendo.

—En realidad —continuó Rachel—, ahora

que pienso en ello, llevas unos días comportándote de manera extraña.

Leah se aclaró la garganta.

—No me he estado comportando de manera extraña.

—Sí, claro que sí. Lo he notado cada vez que te llamaba por teléfono. Normalmente contestas al primer o segundo timbrazo. Y estos días, incluso cuando contestabas, parecías distraída.

Leah se encogió de hombros y recorrió el restaurante con la mirada antes de mirar de nuevo a su hermana.

—A lo mejor me está ocurriendo algo. O quizá no. No lo sé. Todavía no he sido capaz de averiguarlo —fijó la mirada en su copa—. ¿Te parecería bien que te dijera que no estoy en condiciones de hablar sobre ello?

—¿Es Dan?

En aquel momento, Leah deseó estar en cualquier otra parte.

No, mentira. A pesar de todo, no le gustaría estar en ninguna otra parte. Si estuviera en su casa, estaría subiéndose por las paredes hasta que Sami regresara del partido de voleibol. Si hubiera ido a la sesión con el psicólogo, estaría sentada al lado de Dan. Y si estuviera con J.T...

Bueno, en realidad él no era una opción. A pesar del café, los dulces y la rosa que había dejado en su coche aquella mañana y la nota que había encontrado al salir de clase, no sabía cómo ponerse en contacto con él. Y aunque lo supiera, no lo haría. Y, de hecho, saber que estar con él no era una opción la ayudaba.

Un poquito al menos.

Se removió en su asiento.

—En realidad, ahora no me apetece hablar de eso.

Rachel permaneció en silencio durante unos segundos mientras la estudiaba. Después desvió la mirada hacia la camarera que en ese momento se acercaba.

—Salvada por la comida —dijo con una sonrisa.

Leah le devolvió la sonrisa y apartó su copa para que pudieran servirle la ensalada. En cuestión de segundos, estaban solas otra vez. Leah pinchaba las crujientes hojas de lechuga con entusiasmo mientras Rachel hacía lo mismo con su ensalada.

—Sé que a veces puedo ser un poco avasalladora —comentó Rachel quedamente.

Leah alzó la mirada y fingió sorpresa.

—Oh, déjalo —Rachel masticó y tragó—. Supongo que lo que estoy intentando decirte es que… bueno, que quiero que sepas que cuando estés preparada para hablar, puedes contar conmigo. Lo sabes, ¿verdad?

Sí, lo sabía. Y eso bastaba para calmarla. ¿Pero cómo iba a hablar de algo que ni siquiera ella comprendía?

Asintió, sintiéndose ridículamente cerca de las lágrimas.

—Lo sé, gracias.

Eran casi las diez y media y no había señal de Leah por ninguna parte.

J.T. estaba sentado al final de la barra, con una botella de cerveza que estaba cada vez más caliente. En la esquina, una gramola emitía una vieja canción de Johnny Cash mientras en la mesa de billar cuatro hombres disputaban una partida. Los ganadores estaban destinados a jugar con los propietarios de la moneda que descansaba sobre los mellados bordes de la mesa. J.T. había conocido muchos bares, y aquél era mejor que la mayoría, pero no tan bueno como otros de los que había disfrutado.

Mucho tiempo atrás, había descubierto que cada bar tenía sus propias reglas. Pero, estuviera donde estuviera, y fuera uno quien fuera, siempre y cuando se ocupara de sus propios asuntos, no se buscara problemas con los demás, pagara su consumición y fuera suficientemente amable sin llegar a parecer curioso, su rostro era olvidado en cuanto giraba la cabeza.

J.T. deslizó la mirada hacia la puerta y al ver entrar a otro tipo, la bajó hacia su cerveza.

Era consciente de las pocas posibilidades que tenía de que Leah apareciera. Pero aun así, continuaba esperando que lo hiciera. Necesitaba hablar con ella. Y la única forma de hacerlo era en un lugar público. Porque cuando estaban solos... bastaba con decir que le costaba mantener las manos quietas y que no tenían muchas oportunidades de hablar. En cuanto al motivo por el que había elegido aquel bar, bueno, quería proporcionarle a Leah cierto anonimato. Si hubiera elegido un restaurante o algún lugar más cercano a su casa, se habría arriesgado a que pudieran verla.

Pero tenía que admitir que quizá se había precipitado al decidir el momento de aquel encuentro. Debería haber esperado un poco más.

El único problema era que no podía esperar. Cuanto más tiempo pasaba, más deseaba a Leah. La quería en su cama, retorciéndose bajo su cuerpo. Quería verla abriendo las piernas y arqueando la espalda para encontrarse con él. Y cada segundo que pasaba sin estar a su lado, se le antojaba una eternidad. Se sentía como si hubiera muerto y vuelto a nacer por lo menos diez veces desde que había regresado a la ciudad. Se había concentrado en su trabajo, en la restauración de una antigua granja victoriana situada a unos cuantos kilómetros del bar, pero tenía que controlarse para no crearse más trabajo con el único fin de continuar en aquella casa.

La puerta se abrió.

Y entró otro hombre desconocido.

J.T. tomó la botella y bebió un largo trago, sin fijarse apenas en lo caliente que estaba. La dejó de nuevo sobre la barra, se sacó un par de billetes del bolsillo y se acercó a la gramola. Al parecer, las únicas opciones eran regresar a una granja vacía o continuar bebiendo en el bar.

Leah rodeó el pomo de la puerta del Lantern's Light con dedos temblorosos, empujó lentamente y entró en el bar antes de que le diera tiempo de cambiar de nuevo de opinión. Se había acercado al bar más de cinco veces, pero sólo para regresar de nuevo a su coche, que había dejado aparcado en la parte de atrás. Y, en el último momento, cuando estaba regresando a su casa, había vuelto al bar...

Había vuelto a J.T.

Había visto fuera su moto, de modo que

sabía que estaba todavía allí. Aunque no era capaz de comprender por qué. Dan nunca la había esperado más de quince minutos. Se estremeció, pensando en la diferencia de carácter entre los dos hombres, y se preguntó cuánto tiempo habría sido capaz de esperarla J.T. ¿Otros quince minutos? ¿Media hora? ¿Una hora? ¿Toda la noche?

Iba vestida con el mismo pantalón y la misma blusa de esa misma mañana. No había querido arreglarse por miedo a que Sami intuyera lo que estaba ocurriendo. Aunque en realidad, Sami había vuelto a casa envuelta en su propio drama, algo que tenía que ver con que su mejor amiga se había ido con otra chica durante el partido de voleibol. Desde casa había seguido la discusión a través de conversaciones telefónicas. Cuando se había ido de casa, Sami parecía haberlo arreglado todo con su mejor amiga y estaba tumbada en la cama, hablando con ella sobre un chico nuevo en el colegio. Apenas se había despedido de su madre cuando ésta le había dicho que se iba a casa de su tía Rachel para ayudarla con todo lo de la boda.

Y en aquel momento, allí estaba, en medio de la tenue luz del bar, oyendo el tintinear de los vasos y los chasquidos de las bolas de billar mientras veía a un hombre que la impulsaba a hacer cosas que sabía no debería hacer. Mientras miraba a J.T.

El sonido del rasgueo de una guitarra flotaba en aquel ambiente impregnado de alcohol. Miró hacia la gramola y vio a J.T. inclinado sobre la máquina, de espaldas a ella.

El corazón se le subió a la garganta.

J.T. lucía los vaqueros como ningún otro hombre de los que Leah conocía. La desgastada tela se ajustaba a su cintura y envolvía sus piernas de una manera que hacía que los dedos le dolieran de deseo, de las ganas que tenía de deslizarlos por aquel suave algodón y palpar el acero que se ocultaba bajo la tela.

J.T. se volvió lentamente, como si hubiera sentido su presencia, su mirada. Leah se quedó paralizada mientras alzaba la mirada desde los pantalones a la camisa, apreciando su pecho y su cuello antes de fijarla en sus resplandecientes ojos marrones.

En aquel momento, todo dejó de existir para ella. El bar, las preocupaciones relacionadas con sus estudios. Las quejas de su hermana. Los problemas de su hija. Lo único que oía era el sonido del bajo de la canción y el latido de su propio corazón. Las palmas de las manos, y otras partes mucho más íntimas de su cuerpo, se humedecieron. Y sus labios anhelaban sentir sobre ellos la boca de J.T.

Ninguno de ellos se movió durante largos, larguísimos segundos. Al final, J.T. se apartó de aquella vieja gramola y cruzó el espacio que los separaba, tendiendo sus manos hacia ella.

Leah deslizó la mirada por sus dedos callosos y por el vello oscuro de sus antebrazos; después, lo miró a los ojos.

—¿Quieres bailar conmigo?

A Leah le temblaban tan violentamente las manos que estaba segura de que J.T. lo notaría en cuanto las tocara. Un tórrido estremecimiento recorrió su cuerpo mientras se preguntaba por qué tenía la sensación de que aquella invitación significaba aceptar mucho más que un baile.

Capítulo cinco

LEAH olía a la sutil esencia de las gardenias y a una fragancia definitivamente dulce y femenina.

J.T. tiró de ella hasta que los separaron sólo unos milímetros. Las puntas de sus senos rozaban su pecho. Y su masculinidad palpitaba insistentemente, rebosante de deseo por aquella mujer cuyo recuerdo lo había perseguido durante toda su vida. Posó la mano en su cintura, luchando contra la urgencia de presionarla contra él hasta que no los separara nada más que su ropa.

Había pasado tanto tiempo... Demasiado tiempo. Pero ceder a su ansiedad, reclamarla en aquel momento, sólo los llevaría a donde ya habían estado. Y J.T. quería más, mucho más.

Tensó su mano y comenzó a bailar con ella lentamente, haciendo uso de toda su fuerza de voluntad para contenerse, para no precipitarlo todo.

—He tenido que esperarte.

J.T. percibió una aroma que le resultaba familiar. Olía a limón. E, inmediatamente, se sintió transportado a la primera vez que habían bailado, catorce años atrás, durante una noche de verano.

El campamento entero se había reunido para cenar en el pabellón y los propietarios del parque habían contratado a una banda de música para aquéllos que quisieran disfrutar de la noche. Pero a media noche, la mayor parte de los campistas había regresado a sus caravanas y a sus tiendas. Eran muy pocos los que habían continuado levantados.

Leah y él habían sido dos de ellos.

Y Leah le había pedido que la sacara a bailar.

J.T. cerró los ojos, respirando la fragancia a limón de su pelo. Le parecía increíble que Leah continuara usando el mismo champú de entonces. Y le parecía increíble que la joven franca, descarada y rebelde que en otro tiempo había sido se hubiera convertido en la mujer vacilante, dubitativa y temerosa que en aquel momento tenía entre sus brazos.

Leah apartó la mano brevemente y se secó la palma en los pantalones antes de volver a atrapar la de J.T. En sus labios apareció una sonrisa antes de que desviara la cabeza en otra dirección.

¿Qué habría pasado durante aquellos años para hacerla cambiar? ¿O quizá no había cambiado en absoluto? A lo mejor había sido su memoria la que la había pintado tal y como él quería verla, pero su imagen no estaba basada en absoluto en la realidad. ¿Sería la Leah que tenía entre sus brazos la verdadera Leah?

No. Sólo tenía que pensar en el breve e inesperado encuentro de año y medio atrás para saber que la Leah con la que estaba bailando no era la mujer que entonces había conocido. Y lo sabía porque durante un breve y emocionante intervalo de tiempo, Leah había vuelto a convertirse en aquella joven que tenía el mundo y todo lo que se le antojara inclinado ante sus hermosos pies. La hija del juez cuya única preocupación era satisfacer sus propios y curiosos apetitos. Y J.T. había sido el primer hombre al que había dado la bienvenida entre sus maravillosas piernas.

—Josh, yo…

Todos los músculos de J.T. se tensaron.

Tenía la sensación de que había pasado una eternidad desde la última vez que alguien había utilizado su nombre de pila. Y como le había advertido que no lo usara la última vez que se habían visto, Leah no había vuelto a utilizarlo. No, J.T. no le había dicho los motivos por los que prefería utilizar sus iniciales en vez del nombre que lo había acompañado durante toda su vida. Y Leah había aceptado que era algo que J.T. no podía compartir.

Y el hecho de que hubiera usado su nombre en aquel momento significaba que estaba a punto de decirle algo que probablemente J.T. no quería oír.

—Chss —susurró, y la estrechó contra él.

La oyó contener la respiración y sintió el roce de sus senos contra su pecho. Reprimió un gemido. ¿Tendría aquella mujer la más ligera idea de hasta qué punto lo afectaba? ¿Sabría que en aquel momento la estaba deseando tan intensamente que estaba a punto de explotar de deseo por ella? ¿O que no había un solo día en el que no pensara en ella, en el que no recordara lo que había habido entre ellos y la ansiara con una intensidad que le hacía imposible concentrarse en nada que no fuera el recuerdo de Leah?

Colocó su bota entre sus zapatos, haciéndole abrir las piernas y llenando aquel espacio natural con el muslo. Leah jadeó ligeramente al sentir la dureza de sus músculos contra su henchida feminidad. Oh, sí, claro que sabía que ella también lo deseaba. Siempre lo había sabido. Era la única debilidad que podía utilizar contra ella.

El problema residía en que J.T. no quería utilizar nada contra Leah. Y menos sus traicioneros sentimientos.

—Me estaba acordando de la primera vez que bailamos —le susurró al oído, acariciando aquella delicada caracola con su aliento y viéndola estremecerse. Hasta su rubia y estilosa melena parecía temblar con las reacciones que estaba despertando en ella—. ¿Te acuerdas, Leah?

Leah no hizo ningún gesto que le indicara que lo estaba oyendo.

J.T. fijó la mirada tras ella, permitiéndose revivir las imágenes de aquel lejano verano.

—Recuerdo lo cargado que estaba el ambiente justo antes de que comenzara a llover. Y también la voz del solista de la orquesta, y el canto de los grillos. El olor de la hierba y tu pelo —presionó la barbilla contra su cabeza—. Y cómo me mirabas. Tan ansiosa, tan confiada. Y yo me decía: «Ésta es una mujer que sabe lo que quiere. Y yo voy a dárselo».

—Yo no era una mujer, era casi una niña.

J.T. se separó ligeramente de ella.

—No, Leah, eras una mujer —sonrió de oreja a oreja—. Y estoy convencido de que has sido una mujer desde el mismo día en que naciste.

La canción llegó a su final y Leah intentó apartarse. Pero J.T. no le permitió escapar. La ventaja de haber metido tanto dinero en la máquina era que sabía qué canción iba a sonar a continuación.

Restregó la mejilla contra la melena de Leah.

—Entonces me besaste —susurró.

Leah bajó la mirada hasta la pechera de su camisa y, nerviosa, la desvió de nuevo hacia el bar.

—Si no recuerdo mal, fuiste tú el que me besaste —dijo con voz tan queda que apenas se la oía.

J.T. negó con la cabeza. En aquel momento comenzó a sonar la siguiente canción.

—No, Leah, me besaste tú —presionó los labios contra su sien, resistiendo las ganas de recrear aquel momento. Pero, si realmente quería recrearlo, tendría que ser ella la que diera el primer paso. Como había ocurrido la primera vez—. Me besaste como si no pudieras evitarlo.

—Eso fue… hace mucho tiempo.

J.T. se apartó para poder mirarla a los ojos.

—¿De verdad? Porque yo tengo la sensación de que ha sido hace cinco minutos.

Observó cómo se dilataban sus pupilas. Oh, sí. Sabía que ella estaba sintiendo lo mismo que él. Que añoraba la despreocupación con la que habían explorado su deseo años atrás. Pero el hecho de que pudiera admitirlo era algo completamente diferente. Y J.T. sabía que Leah estaba muy lejos de atreverse a confesar lo que sentía. Y también sospechaba por qué. Dios santo, él mismo se había pasado la mitad de su vida preguntándose qué sentía por Leah. Y la otra mitad deseándola tan salvajemente que vibraba por la intensidad de su deseo.

Leah se humedeció los labios. J.T. se embebió de aquel movimiento, sabiendo que era el preludio de un beso.

Pero en vez de inclinarse hacia él, Leah se apartó.

—Yo... no debería estar aquí. De verdad, tengo que irme.

J.T. reprimió la necesidad de sujetarla, de evitar que se marchara. Y fue capaz de soltarla y de ver cómo se dirigía hacia la puerta.

La estaba perdiendo, y no sabía cómo impedirlo.

La desesperación de Leah por escapar era tanta que le temblaban las rodillas. No era justo que J.T. hubiera vuelto. No era justo que le estuviera recordando momentos que era preferible olvidar. Y no era justo que le hiciera desearlo de tal manera que tenía la sensación de que podría morir si no lo besaba, si no lo sentía, si no hacían el amor en aquel momento.

Se dirigió a la puerta a toda la velocidad que le permitían sus piernas, pero intentando no correr. No debería haber ido. Había sido una tontería pensar que sería capaz de decirle a J.T. que no quería volver a verlo otra vez. Pensar que podría mirarlo a los ojos y decirle: «Todo ha terminado entre nosotros. Yo he sido capaz de continuar con mi propia vida y ya va siendo hora de que tú hagas lo mismo».

En cambio, no había vacilado en el momento de entregarse a sus brazos para bailar. Y había dejado que sus cuerpos se mecieran abrazados como si fuera lo más natural del mundo.

«Encajamos perfectamente».

Recordaba las palabras que J.T. había susurrado aquella noche que minutos antes él mismo había evocado. En realidad, no se lo estaba diciendo a ella. Era como si estuviera hablando consigo mismo. Su voz estaba llena de un asombro y una convicción que reverberaban a través de ella... Y que habían cambiado su vida para siempre.

Empujó la puerta, salió y respiró jadeante el aire frío de aquella noche de primavera. Había cambiado su vida para siempre. Qué pensamiento tan estúpido, tan infantil. No estaba mal para una jovencita de dieciséis años que estaba disfrutando de su primer amor adolescente. Pero era ridículo para una mujer de treinta y uno, madre de una hija de once años.

Se preguntó qué diría el doctor McKenna si le contara lo ocurrido. ¿Le diría que su reacción era como una especie de vuelta al pasado, a una época de su vida menos problemática? ¿A una época en la que no tenía responsabilidades de adulta ni nada de lo que éstas conllevaban?

—Leah...

Estuvo a punto de tropezar al oír su nombre. La había seguido. Y en alguna parte, muy dentro de ella, Leah había tenido la certeza de que lo haría. Y muy cerca del lugar en el que había brotado aquella certeza estaban también el alivio y el reconocimiento de la tristeza de J.T.

Se volvió hacia él. La distancia que había entre ellos le permitía conservar cierta cordura.

—No puedo volver a verte, J.T.

J.T. escrutó su rostro en medio de la oscuridad. Sus facciones parecían esculpidas en granito.

—Ahora no me estás viendo.

Leah sentía tan tensa la garganta que la sorprendía ser capaz de respirar.

—Te he visto dos veces en estos últimos tres días.

—Necesito hablar contigo.

Leah sacudió la cabeza con firmeza.

—Eso era lo que me decía yo a mí misma.

Ése es el motivo por el que he venido hasta aquí, para hablar. Pero no hemos hablado, J.T. Nunca lo hacemos. Cada vez que estamos cerca, somos incapaces de hablar.

—Ahora lo estamos haciendo.

Leah rió con tristeza. Sentía una fuerza magnética que lo impulsaba hacia él y estaba luchando contra ella con toda su voluntad.

—Eso no cuenta. Ahora sólo estamos hablando de la posibilidad de hablar —sacudió la cabeza y presionó el bolso contra su vientre, como si con aquel gesto pudiera impedirse caminar hacia él—. Yo he continuado con mi vida —le dijo. Eran las palabras que había estado ensayando durante toda la tarde—. He vuelto a la universidad, estoy asistiendo a un psicólogo con mi ex marido, con la esperanza de que podamos reconciliarnos. Y mi hija... bueno, mi hija necesita que esté a su lado.

J.T. permaneció callado durante largo rato, haciéndole preguntarse si habría dicho algo en realidad. O, en el caso de que realmente hubiera hablado, si había sido capaz de comprender lo que le quería decir.

—¿Y tú? —le preguntó J.T. con voz queda—. ¿Tú qué necesitas, Leah?

No era justo. No era justo que le hiciera aquella pregunta.

J.T. levantó la mano lentamente.

—¿Tú qué quieres?

Leah se volvió hacia el coche que tenía aparcado al final del aparcamiento, fuera de la vista del tráfico. No lo había hecho a propósito, pero parecía que todo lo que estaba relacionado con J.T. encerraba algún secreto. Era algo malo. Prohibido.

—Quiero que me dejes en paz —susurró.

Pero no lo dijo lo suficientemente alto como para que J.T. lo oyera. Rodeó el bar y sacó las llaves del coche del bolso.

—Creo que no he entendido tus últimas palabras.

J.T. la había agarrado del brazo y la estaba obligando a volverse para mirarlo a la cara.

—He dicho que quiero que me dejes en paz.

El corazón le latía con fuerza y el sonido de sus propias palabras era como un cuchillo que estuviera desgarrando su pecho.

—¿De verdad? —le preguntó—. Porque si eso es cierto, te dejaré esta misma noche.

Leah tenía la sensación de que no iba a poder volver a respirar con normalidad en toda su vida. Estando allí, frente a aquel rostro que había llegado a hacérsele familiar por todas las veces que había aparecido en sus sueños, deseaba exactamente todo lo contrario de lo que estaba diciendo.

Se humedeció los labios varias veces.

—Sí, eso es lo que quiero —cada una de sus palabras era más queda que la anterior. La última apenas se oyó.

Permanecieron allí durante largo rato. Ninguno de ellos decía nada. Sólo rompía el silencio de la noche el sonido de algún coche que pasaba al otro lado del edificio.

De pronto, J.T. la soltó y retrocedió.

El pánico crecía en el estómago de Leah y estuvo a punto de gritar.

—Por favor —dijo, avanzando hacia él—. Tienes que comprenderlo...

—¿Comprender qué, Leah? —le preguntó—. No hay nada que no pueda comprenderse en lo que has dicho.

—Pero necesito que comprendas los motivos por los que lo hago.

—Ya me los has dicho. Has continuado con tu vida.

Leah sentía que se le cerraba la garganta. ¿De verdad había continuado con su vida? ¿O estaba vadeando las mismas aguas en las que había nadado antes, intentando encontrar el cauce que parecía eludirla?

—¿Por qué? —susurró.

Se había prometido a sí misma que no le haría esa pregunta. Que no ahondaría en las razones de su vuelta. Pero últimamente parecía incapaz de contenerse. Necesitaba saber por qué había vuelto J.T., por qué estaba en

Toledo. Y por qué parecía tener tantas ganas de hablar con ella.

—¿Por qué has vuelto?

—Por la misma razón por la que estás aquí esta noche, Leah. Necesitaba verte otra vez. Necesitaba convencerme a mí mismo de que mi cabeza no me estaba engañando. De que te deseaba como siempre lo he hecho.

Leah sentía que se le debilitaban las rodillas y se aferraba al bolso como si éste pudiera sostenerla.

—Necesito ver si la tierra continúa temblando cuando me besas.

El sonido del tráfico desapareció. Leah sólo oía el constante latir de su corazón. Lentamente, fue disminuyendo la tensión con la que agarraba el bolso y avanzó para ver si J.T. todavía era capaz de hacer que, para ella, también temblara la tierra.

Se mantuvo suficientemente cerca de él como para que pudiera besarla. Su nariz casi rozaba la de J.T. mientras deslizaba la mano por la línea de su mandíbula, sus mejillas y su frente. Lo miró fijamente a los ojos, respirando su aliento a cerveza y la fragancia almizcleña de su piel. Sentía su calor como si fuera propio. Inclinó la cabeza hacia la derecha, después hacia la izquierda y presionó los labios lentamente contra la boca de J.T. Sentía el calor de su piel. Y la eterna barba pinchándole suavemente la mejilla.

Antes de que fuera consciente de lo que estaba a punto de hacer, su cuerpo se había moldeado completamente contra el de J.T. como si fuera incapaz de continuar erguido sin su ayuda. Sacó la lengua y acarició con ella el labio superior de J.T., instándolo a abrir la boca para ella.

Los ojos de J.T. permanecían sombríos e insondables mientras ambos se miraban a los ojos. «Bésame», deseaba decirle Leah, «bésame como solías besarme entonces».

Y entonces la besó. Leah oyó un gemido lastimero y advirtió con asombro que había escapado de sus propios labios. Echó la cabeza hacia atrás mientras J.T. deslizaba la mano por su barbilla y le acariciaba la mejilla con el pulgar, haciéndole volver el rostro para encontrarse con la plenitud de su boca. Deslizó la lengua lentamente alrededor de sus labios y por el borde de sus dientes antes de que J.T. la succionara eróticamente.

De pronto, Leah tuvo la sensación de que sus huesos se disolvían y sus músculos se derretían hasta convertirse en agua. Nada existía más allá de aquel momento, más allá de J.T. y de la ansiedad de sus cuerpos. Leah se estrechó contra él hasta que su pelvis encontró la de J.T. y sus senos chocaron contra la pared de su pecho. Le rodeó la cintura con los brazos e intentó acercarlo todavía más ella, aunque las leyes de la naturaleza lo impidieran. Su respiración se había hecho jadeante, sentía el palpitar de su propio sexo y una humedad entre las piernas que aumentaba al mismo ritmo que su deseo de hacer el amor con J.T. en ese mismo instante.

J.T. debía de estar pasando por lo mismo porque fue empujándola suavemente hasta hacerla sentarse sobre un depósito de madera. Y entonces continuó estimulándola. Introdujo la mano entre sus piernas para pedirle que las abriera y se instaló de inmediato en ese espacio, presionando insistentemente con la mano su ardiente feminidad. Le desabrochó los primeros botones de la blusa e introdujo la mano en su interior, apoderándose de sus senos. La acariciaba con manos expertas, como si estuviera siguiendo un mapa de carreteras recorrido mucho tiempo atrás y perfectamente conocido. Hundió el dedo en una de las copas del sujetador, como si quisiera tentar al pezón a erguirse y participar en aquel juego. En el momento en el que le abrió la blusa y tomó con la boca el pezón que él mismo había liberado, Leah perdió por completo la capacidad de respirar.

Hundió las manos en el pelo de J.T. y lo estrechó contra su pecho. J.T. liberó su pezón, dejando aquella húmeda punta abandonada contra el frío de la noche. Uno a uno, fue desabrochando los botones de la blusa para, al final, sacar de la cintura del pantalón aquella delicada tela y cubrir inmediatamente con los labios la piel que él mismo había dejado al descubierto. Subió hasta el otro seno, convenciéndolo para que saliera junto a aquél que había estado lamiendo y acariciando, enloqueciendo a Leah con la miríada de sensaciones que estaba encendiendo en su interior.

J.T. siempre había sabido cómo tocarla, cómo lamerla, cómo acariciarla. Era un experto en atizar las llamas de su deseo hasta convertirlo en una hoguera. Hasta que Leah no soportaba ni siquiera estar en su propia piel.

Leah volvió sus ojos cerrados hacia el cielo y gimió. «Sí», quería decir, eso era lo que realmente quería. Quería a J.T, lo deseaba...

Sintió detenerse la boca de J.T. en su cuello.

—¿Durante cuánto tiempo? —le preguntó él con voz ronca.

Leah pestañeó con fuerza y lo miró a los ojos. ¿Habría dicho en voz alta lo que estaba pensando? ¿De verdad le había dicho que era él a quien realmente quería?

Leah se humedeció los labios y susurró:
—Tengo que irme.

Capítulo seis

MALDICIÓN. Dijera lo que dijera, hiciera lo que hiciera, J.T. no era capaz de ver a través de Leah. Y lo aterraba pensar que quizá nunca la comprendiera.

—Tengo que irme —susurró Leah de nuevo, intentando apartarle las manos de su cintura.

Sólo un segundo antes, le estaba ofreciendo generosamente su cuerpo para que hiciera con él lo que deseara y, de pronto, cerraba una suerte de puerta invisible y volvía a dejarlo fuera.

J.T. la sostuvo con fuerza.

—Espera. Escucha —dijo con rudeza.

—No puedo.

Sus palabras eran como un grito lastimero. Y J.T. fue entonces consciente de que, tan desesperado como estaba él por comprenderla, lo estaba ella por detenerlo.

La miró fijamente, perplejo, frustrado y loco de deseo por ella.

La soltó y retrocedió, ofreciéndole el espacio que necesitaba para marcharse. Leah cerró las piernas y se abrochó la blusa con manos temblorosas, evitando en todo momento su mirada. J.T. esperaba què le dijera que no podrían volver a verse, pero tampoco salieron aquellas palabras de sus labios.

J.T. sacó entonces una tarjeta del bolsillo de su camisa. Una tarjeta en la que había escrito la dirección de la casa en la que se alojaba y el número de su móvil. Le tomó la mano. Leah pestañeó y clavó la mirada en su rostro mientras él le pasaba la tarjeta.

—Estaré allí por si cambias de opinión. Puedes acercarte o llamarme cuando quieras. A cualquier hora del día o de la noche.

Cerró los dedos sobre la tarjeta y le estrechó la mano; no quería dejarla marchar, pero sabía que tenía que hacerlo.

—¿Durante cuánto tiempo?

J.T. la miró con los ojos entrecerrados. ¿No era ésa la misma pregunta que él le había hecho a ella?

Le dirigió una sonrisa triste y fugaz y se volvió sin ofrecerle una respuesta.

La verdad era que no sabía durante cuánto tiempo podría quedarse. El trabajo que había aceptado terminaría la semana siguiente. Se quedaría por lo menos hasta entonces. Y después, si Leah no se ponía en contacto con él...

Pero no quería pensar en ello. No podía considerar aquella opción en ese momento.

Rodeó la esquina del bar y se encontró con un coche patrulla que se dirigía hacia el aparcamiento. Su inmediata respuesta fue fundirse entre las sombras, allá donde no podía ser visto.

Pero no, todavía no.

El coche patrulla pasó por delante de su moto, sin duda alguna advirtiendo que tenía una matrícula de otro estado. En una de las esquinas del aparcamiento, en la más cercana a la autopista, se oyeron los gritos de una mujer. El policía que estaba mirando la Harley se volvió hacia ella, hacia lo que parecía una discusión de pareja.

J.T. permaneció donde estaba, con los brazos cruzados. Volvió la cabeza para ver si el coche de Leah estaba todavía en el aparcamiento, y la descubrió a sólo unos metros de él, mirándolo con curiosidad.

¿Qué habría visto? ¿Se habría dado cuenta de que en cuanto había visto aparecer el coche de policía se había escondido entre las sombras?

J.T. hizo un gesto en su dirección y se acercó después a su moto, confiando en que la policía estuviera distraída con aquella mujer que estaba gritando a su cita.

La vuelta a casa fue demasiado rápida. Leah abrió la puerta del garaje, pero tuvo que dejar el coche fuera al ver que la bicicleta de Sami continuaba allí. Suspiró e intentó cerrar de nuevo la puerta. Pero la puerta no respondió. Tomó los libros y el bolso y salió del coche, optando por entrar por el garaje y cerrar la puerta desde allí.

Eran más de las once y tenía frío. En sus labios todavía palpitaba el recuerdo de la boca de J.T. Cada célula de su cuerpo se sentía maravillosamente viva, por mucho que intentara mitigar aquella traicionera sensación. No era justo que un hombre con el que sabía racionalmente que no debería tener nada que ver pudiera afectarla de una forma tan poderosa con sus caricias.

Pero por muy nublada que hubiera estado su mente por el deseo, no le había pasado por alto cómo había evitado J.T. cruzarse con el coche de policía. Desde luego, aquél no era un gesto propio de un hombre que no tuviera nada que esconder. Hacía año y medio, a Leah la había asombrado que le pidiera que lo llamara por sus iniciales en vez de por su nombre. Y encontraba su errante existencia mucho más que curiosa. Cuando eran jóvenes, J.T. hablaba de ser ingeniero mecánico. Y, en las ocasiones en las que había pensado en él a lo largo de los años, Leah se lo había imaginado viviendo en algún otro lugar, casado y con cinco hijos, entrenando un equipo de béisbol, probablemente también a otro de baloncesto, y trabajando como ingeniero.

En cambio, durante todo ese tiempo J.T. se había convertido en un misterioso solitario cuyas únicas propiedades eran una moto y una mochila de cuero.

Leah presionó el botón que había al lado de la puerta de la cocina para cerrar el garaje y esperó a que terminara de cerrarse. ¿Podría ser el motivo de su conducta que tenía algún problema con la justicia?

Leah no había considerado aquella posibilidad hasta entonces. Nunca había tenido que hacerlo. Como hija de un juez, siempre había estado muy protegida de cualquier elemento criminal. Jamás había conocido a nadie que violara las leyes.

¿De verdad tendría J.T. algún problema con la ley?

Aquella posibilidad la hizo estremecerse de miedo y preocupación. No por ella, sino por él.

Se metió en casa y cerró la puerta tras ella. Dejó los libros sobre el mostrador de la cocina y colgó el bolso.

—¿Dónde has estado? —la voz acusadora de su hija rompió el silencio de la noche.

Leah se detuvo, sobresaltada por aquella pregunta. Su hija estaba sentada a la mesa de la cocina con una taza frente a ella y los brazos cruzados, como si ella fuera la adulta y Leah la niña. Un intercambio de papeles que a Leah no le gustaba en absoluto.

Leah acarició la tarjeta de J.T. que guardaba en el bolsillo del pantalón y se acercó a la nevera para servirse un vaso de agua fría.

—Ahora te lo diré.

—Me dijiste que habías ido a casa de tía Rachel. Pero la tía Rachel ha llamado y ha dicho que no habíais quedado esta noche y que no te había visto.

Leah cerró los ojos. No había considerado la posibilidad de que Rachel pudiera llamar a esa hora.

—¿Y tú qué haces despierta? Hace horas que deberías estar en la cama.

—Estaba asustada.

Sami no había tenido miedo de nada desde que tenía dos años.

—¿Y por qué no me has llamado al móvil?

—Te he llamado, pero lo tenías desconectado.

Leah tragó saliva. Debía de haberse olvidado de conectarlo tras haber cancelado su cita con el psicólogo.

Justo en aquel momento sonó el teléfono. Temiendo que fuera J.T. el que la llamaba, Leah se acercó a contestar, pero Sami se le adelantó.

—Es papá —dijo Sami.

Leah se quedó mirando fijamente a su hija mientras ésta hablaba con Dan, la última persona en la que Leah quería pensar en aquel momento. Inclinó la cabeza, como si sintiera en aquel momento la carga de todas las personas que le estaban demandando tiempo y atención cuando lo único que a ella le apetecía era meterse en la cama y enterrar la cabeza bajo la almohada hasta que el mundo comenzara a tener sentido.

—Sí, está en casa —oyó decir a Sami—. Sí, está bien. De acuerdo, ahora mismo te la paso.

Le tendió el teléfono a Leah.

Leah se cruzó de brazos. No estaba dispuesta a que su hija la presionara para que hiciera algo que no le apetecía hacer.

—¿Por qué llama tu padre a estas horas de la noche preguntando por mí?

Sami se apartó la melena de los hombros.

—Lo he llamado antes para decirle que no te encontraba.

—¿Por qué?

—Porque estaba asustada.

Leah comenzaba a impacientarse.

—Dile que lo llamaré mañana.

No estaba segura de qué la molestaba más: si su hija por hacerla sentirse más culpable de lo que ya se sentía o ella misma por haberse metido en una situación que la hacía sentirse culpable.

—Díselo tú —Sami volvió a tenderle el teléfono.

Como Leah continuaba sin hacerse cargo del auricular, Sami lo dejó con expresión desafiante sobre el mostrador de la cocina.

—Ahora que ya has vuelto a casa, me iré a la cama. Espero poder dormir.

Durante largos segundos, Leah permaneció con la mirada fija en el teléfono. Oyó a su hija cerrar el dormitorio de un portazo. ¿Qué diría su ex marido si le contara que se había encontrado con otro hombre en un bar de las afueras de la ciudad? Y no con un hombre cualquiera, sino con el mismo con el que había tenido una aventura año y medio atrás. El mismo hombre que había desatado su crisis matrimonial.

No, Dan no sabía el nombre de J.T. Tal y como había sucedido todo, no había sentido necesidad de decírselo. Pero aunque Dan no lo supiera, ella lo sabía. Y, al final, eso era lo único que importaba. Porque, por rebelde que hubiera sido en su vida, jamás había sabido mentir.

Tomó con mano temblorosa el auricular.

—Dan, es tarde. Te llamaré mañana.

Tras unos segundos de silencio, Dan le preguntó:

—¿Estás bien?

Leah se recostó contra la pared y se frotó la frente, intentando liberar la tensión que se había acumulado en su cabeza. Esperaba que su ex marido estuviera enfadado con ella por haber dejado a Sami sola, por haber salido un viernes por la noche mintiéndole sobre el lugar al que pensaba ir. Cualquier cosa menos preocupado. La reacción de Dan la hizo sentirse infinitamente peor.

—Sí, estoy bien, sólo un poco cansada, eso es todo.

—De acuerdo. Intenta dormir. Hablaremos mañana.

Leah debería haberse sentido aliviada, pero su tono complaciente incrementó todavía más su tensión.

—De acuerdo, gracias, buenas noches.

Colgó el teléfono y miró hacia las escaleras, considerando la posibilidad de ir a hablar con Sami. ¿De verdad tendría el teléfono desconectado? Buscó en el interior del bolso. Sí, todavía estaba desconectado. Comenzó a guardarlo de nuevo, pero cambió de opinión y presionó un botón para marcar el número de su hermana. Rachel contestó a los dos timbrazos.

—Eh, Rachel, sólo te llamo para decirte que estoy en casa y que estoy bien.

—¿Por qué no ibas a estarlo?

Leah frunció el ceño.

—¿No me has llamado antes?

—No, me ha llamado Sami para decirme que necesitaba hablar contigo sobre sus deberes de la escuela o algo así, pero le he dicho que no estabas aquí.

Así que Sami había llamado a Rachel para comprobar si su madre le había dicho la verdad. Leah elevó los ojos al cielo.

—¿Va todo bien, Lee?

—¿Eh? Sí, va todo bien.

Ojalá fuera cierto.

Al día siguiente por la tarde, J.T. deslizaba la sierra por un pedazo de madera de cerezo, siguiendo la curva que él mismo había creado con sus dedos. Había algo en la carpintería que lo arrastraba, que lo atraía intensamente. Aquel oficio satisfacía cuatro de sus cinco sentidos. El sonido de la sierra, el olor de la madera, la belleza de la veta y la suavidad de la madera trabajada.

Eran casi las seis de la tarde y la escasa luz del exterior pronto desaparecería. Había estado trabajando sin parar desde las seis de la mañana. Había tomado un breve descanso para almorzar y había continuado trabajando porque necesitaba mantener la mente ocupada. Y necesitaba trabajar para agotar toda su energía.

Terminó de serrar la madera y miró su trabajo con ojos de experto. El propietario de aquella casa quería que le construyera una estantería para tres de las paredes del estudio. Al ritmo que iba, habría acabado para el día siguiente al medio día de cortar las tablas. El día era cálido, que no caluroso, pero J.T. había terminado empapado en sudor tras haber pasado horas trabajando bajo el sol. Por supuesto, podría haber trabajado a la sombra de un roble, o incluso en el interior de aquella casa vacía, pero había preferido hacerlo bajo el sol. Quería sentir su calor penetrando su piel y caldeando sus huesos.

Sacó un pañuelo del bolsillo del pantalón y se lo pasó por la frente. Leah nunca abandonaba sus pensamientos. Tenía grabada en la mente la imagen de su rostro. El sabor de su boca incrustado en la lengua. La huella de sus senos estampada en las palmas de las manos. Hiciera lo que hiciera, por agotado que estuviera. Porque le bastaba saberse tan cerca de ella y no poder verla para que su conciencia de Leah fuera doblemente intensa.

Soltó los tornillos con los que estaba sujetando la tabla y la apiló junto a todas las demás, en uno de los laterales de la casa.

Estuvo considerando lo que había rendido en aquel largo día de trabajo y miró después hacia la casa.

Se trataba de una centenaria vivienda victoriana que albergaba cinco dormitorios y doce habitaciones en total. Una casa como la que en otro tiempo habría imaginado J.T. para sí mismo. Estaba rodeada de campos, lo que le proporcionaba una agradable sensación de aislamiento. Era un bonito lugar para formar una familia numerosa. Y un lugar perfecto para trabajar. Sin vecinos molestos que lo miraran con desprecio al verlo con su moto. Sin carreteras cerca por las que pudiera llegar la policía, poniéndolo en peligro. Nada, salvo la casa y su trabajo.

Y la constante presencia de Leah.

J.T. se quitó la camiseta y se dirigió al interior para lavarse, antes de revisar los armarios y la nevera en busca de algo para cenar. Intentó no pensar en la hora que era. Intentó no pensar que bastaría montarse en su moto para que en diez minutos pudiera posar sus ojos sobre Leah, sin que ella supiera siquiera que estaba allí.

Pero eso ya no le bastaba. Porque cuando volviera a verla, no sólo quería que fuera consciente de su presencia, sino que fuera ella la que acudiera a su encuentro.

Dejó la camiseta a un lado de la bañera y

metió la cabeza bajo el grifo de la ducha. Pero ni siquiera el castigo del agua fría borraba el recuerdo de Leah. Recordó su expresión de la noche anterior, cuando lo había visto esconderse de la policía. Y recordó a Leah diciéndole que ya no lo vería más y que quería que la dejara en paz.

Cuando había vuelto a Toledo, J.T. se había dicho a sí mismo que estaba preparado para aquella respuesta.

Pero entonces la había visto.

Y la había besado.

Y aquella insensata convicción lo había abandonado junto al último vestigio de su orgullo.

Quería a Leah. De todas las maneras. Quería deslizarse entre sus muslos y sentir sus músculos ardientes a su alrededor. Quería oírla decir su nombre. No sus iniciales, sino su nombre. Quería que aquellas uñas perfectamente manicuradas le dejaran su huella en la espalda. Quería llevarla a la cama al anochecer y hacer el amor con ella hasta que amaneciera.

Quería que fuera su esposa.

Esperó su propia respuesta ante aquel pensamiento, preparándose para el impacto, la incredulidad y el rechazo.

Pero lo que experimentó fue una agradable y absoluta plenitud. Aquella certeza apaciguaba su cansado cuerpo, confortaba su corazón y alimentaba su deseo por una mujer a la que jamás podría dejar de desear.

Quería vivir con ella en una casa como aquélla. Quería tener hijos con Leah. Quería quedarse con ella los domingos, para ir a comer al campo y dar largos paseos. Quería todo lo que podía tener con ella.

Conoció por fin un momento de sosiego. Aquello era justo lo que había ido a buscar a Toledo. Buscaba una respuesta a sus sentimientos hacia Leah Dubois Burger. En el fondo, esperaba descubrir que aquellos sentimientos se habían disipado, que habían desaparecido. Pero, aunque no había considerado entonces siquiera la posibilidad del matrimonio, en ese momento se encontraba abierto a ella.

Porque lo hacía sentirse bien.

Se secó las manos en la toalla, se secó la cara, salió de la cocina y sacó una cerveza del refrigerador. Vació media lata antes de salir a tomar el aire y fijar la mirada en los interminables campos que se extendían hacia el norte de la casa.

Jamás había contemplado la posibilidad de casarse. No era difícil de comprender, considerando su pasado y cómo se estaba viendo obligado a vivir en el presente. Aunque él pudiera sentirse libre, había una gran diferencia entre la libertad de la que otros disfrutaban y el estar constantemente a la fuga. Principalmente porque su libertad podría acabar en cualquier momento.

Aun así, lo arriesgaría todo por Leah.

¿Pero ella lo querría a él?

Se terminó la cerveza y se pasó la muñeca por los labios. No, no era una opción. Una vez que sabía lo que quería, pretendía tenerlo.

Y quería a Leah. Y, maldición, la tendría por mucho que le costara.

Recordó la sombra que había visto en sus ojos la noche anterior cuando le había hecho abrir las piernas para acomodarse entre ellas. Él pretendía hacer las cosas lentamente. Tentarla para que fuera ella la que diera el siguiente paso. Conseguir que las cosas fueran distintas en aquella ocasión.

Pero acababa de darse cuenta de que iba a ser capaz de hacer cualquier cosa, excepto permanecer sentado, esperando.

Capítulo siete

HABÍAN transcurrido dos días desde que Leah había visto a J.T. por última vez. Dos noches que había pasado dando vueltas en la enorme cama que había compartido años atrás con su marido, despertándose constantemente con un gemido en los labios y su cuerpo anhelando algo que sólo J.T. podía darle. Cuarenta y ocho horas sintiéndose culpable por haber mentido a su hija, a su hermana y a Dan.

Conducía su coche a través del tráfico vespertino. Un sol primaveral caldeaba el interior del vehículo mientras se dirigía a las cinco de la tarde a la cita que tenía con Colin McKenna, el psicólogo que la atendía. Tenía la esperanza de que se le aclararan las ideas tras haber pasado un par de días sin ver a J.T., pero la verdad era que estaba más confundida que nunca.

Alargó la mano hacia el botón del aire acondicionado, pero cambió de opinión y abrió la ventanilla. Entró en el coche una bocanada de aire, haciendo volar su pelo e invitándola a respirar hondo para llenar su cuerpo de los aromas de la recién estrenada primavera.

Durante el fin de semana, había pasado más tiempo del que le habría gustado metida en el coche. Llevando a Sami al entrenamiento de fútbol, a las clases de piano, al centro comercial y a casa de sus amigas. En circunstancias normales, Sami habría pasado aquel fin de semana con su padre, pero Dan le había cambiado aquel fin de semana porque estaba llevando el caso de un importante asesino y él y sus compañeros estaban preparando una declaración.

Leah estaba acostumbrada a ese tipo de excusas. Las había oído constantemente durante los últimos doce años. Sami se había llevado una gran desilusión, pero lo había superado rápidamente. Sobre todo porque Leah siempre se había sentido en la obligación de enmendar las más que cuestionables habilidades paternales de su marido. De manera que había estado dispuesta a perder su propio tiempo a cambio de la felicidad de su hija.

Lo cual no estaba nada mal, teniendo en cuenta lo que le habría gustado hacer con su tiempo.

—¿Estás bien, Leah? —le había preguntado su padre aquella mañana durante el desayuno dominical que compartía con sus hijas. Sami se reunía de vez en cuando con ellos, pero normalmente evitaba aquellos encuentros con la excusa de los deberes o de los planes que tenía con las amigas.

—Sí, estoy bien, papá, muy ocupada, pero bien.

En condiciones normales, habría querido saber por qué se lo preguntaba, pero Leah estaba aprendiendo a evitar ese tipo de preguntas, por si la persona a la que se las dirigía lo consideraba como una especie de invitación a la sinceridad.

No podía compartir con nadie la verdad. Ya había hecho sufrir suficientemente a su padre año y medio atrás. Su padre había aceptado a Dan como a un auténtico hijo y ella había arruinado esa relación, además de otras muchas cosas, a cambio de unas cuantas horas vacías con J.T. West.

Vacías...

No, aquéllas no habían sido unas horas vacías.

Pero J.T. la había dejado dolorosamente vacía tras su marcha.

Alargó la mano hacia el bolso y sacó el teléfono móvil y la tarjeta que J.T. le había dado. Durante los días anteriores, había mirado esa tarjeta infinidad de veces, había deslizado el pulgar sobre la cinta azul y había leído una y otra vez el número el teléfono y la dirección que en ella figuraban. Pero jamás había ido más allá.

Se detuvo en un semáforo. El corazón le latía erráticamente en el pecho mientras sostenía la tarjeta frente a ella. Introdujo el número en el móvil y presionó un botón. Y se estaba llevando el teléfono al oído cuando el coche que estaba tras ella comenzó a tocar el claxon, indicándole que el semáforo había cambiado.

Desconectó rápidamente el teléfono y lo dejó en el asiento de pasajeros. Sentía la boca seca mientras continuaba conduciendo.

Dios, ¿en qué estaba pensando?

Largos minutos después, llegó al aparcamiento del complejo médico Sylvania y encontró un hueco enfrente de la consulta del doctor McKenna. No vio el coche de Dan Lincoln, algo de lo que se alegró, porque de esa manera podría estar unos minutos a solas con el psicólogo para hablar de cosas que no quería mencionar delante de Dan.

Aunque había una recepcionista en la consulta, Colin McKenna siempre salía a recibirla y Leah imaginaba que haría lo mismo con todos sus pacientes.

Sus pacientes. Dios, ¿realmente era ella una paciente?

—Leah, me alegro de verte otra vez —le dijo con una sonrisa—. Siento que no pudieras venir el viernes pasado.

Leah había olvidado que había cancelado

la cita de la semana pasada y no había preparado ninguna excusa.

—¿Por qué no esperamos a Dan en mi despacho? —Colin abrió la puerta, le cedió el paso y la cerró tras ellos.

El doctor Colin McKenna era un hombre alto y atractivo que no encajaba en la idea que hasta entonces tenía Leah de un consejero matrimonial. Sobre todo porque ni estaba ni había estado casado. Pero, por supuesto, a lo largo de los tres meses anteriores, Leah había llegado a respetar su capacidad, le confiaba cosas que ni siquiera le contaba a su hermana, y había llegado a la conclusión de que, si había alguien que podía recomponer su familia, ése era él.

—Hace un tiempo muy agradable, ¿verdad? —colocó una silla en el centro de la habitación y le hizo un gesto para que se sentara frente a él.

—¿Eh? Oh, sí, el tiempo —Leah asintió mientras se sentaba y colocaba al bolso al lado de la silla—. La primavera siempre es agradable.

El psicólogo entrecerró ligeramente los ojos, aunque continuó sonriendo.

—No parece que estés pensando en el tiempo.

—No, supongo que no.

—¿Hay algo de lo que quieras hablarme...

antes de que llegue Dan?

Leah tragó saliva. Se preguntaba por qué el doctor McKenna sabía que tenía algo que podía querer decirle sin que estuviera presente Dan.

—No —contestó con una sonrisa.

Lo estudió atentamente. Siempre parecía haber algo bajo la superficie del doctor McKenna. Era como si también él estuviera pensando en algo, algo que quería compartir, pero que se guardaba para sí.

Pero, de la misma manera que no había querido alentar la curiosidad de su padre, tampoco animó al doctor McKenna. En el caso de su familia era para protegerlos a ellos. En el caso del doctor McKenna, para protegerse a sí misma.

La verdad era que tenía miedo de lo que se escondía dentro de ella. La aterrorizaba que la misma mujer que había cedido a sus deseos año y medio atrás pudiera florecer otra vez, causando más dolor. No sólo a ella, sino a todos los que la rodeaban.

Y no podía permitir que eso ocurriera.

—Esta tarde estás muy callada —comentó el doctor.

—Sí, supongo que sí —se encogió de hombros—. No tengo nada de lo que quejarme. Todo va a salir bien.

—¿De verdad?

Leah sabía que con aquella pregunta la estaba animando a hablar, pero no podía evitar pensar que era ella misma quien se la estaba haciendo. Quizá fuera su propio subconsciente el que le hacía la pregunta.

Se oyó una breve llamada a la puerta. Un segundo después, entraba Dan en la habitación.

—Lo siento, llego tarde —dijo con una atractiva sonrisa que dejó a Leah completamente desarmada. Le estrechó la mano al doctor McKenna y le dio a Leah un beso en la mejilla—. Espero no haberme perdido nada interesante.

El doctor McKenna introdujo a Dan en la conversación, permitiendo así que Leah contemplara atentamente al que pronto volvería a ser de nuevo su marido. Observándolo a la luz del retorno de J.T.

Pero no, J.T. no tenía nada que ver con lo que estaba ocurriendo en aquella habitación. Aquello tenía que ver con su vida. Estaba observando a Dan para intentar aclarar sus propios sentimientos.

Dan Burger siempre había sido un hombre atractivo. Tanto en el instituto como en la universidad, había sido el capitán del equipo de fútbol. Era cuatro años mayor que Leah y ésta había empezado a salir con él a los dieciocho. Se habían conocido en una fiesta de

Halloween que se celebraba en la residencia universitaria en la que Dan se alojaba. Casi desde el momento en el que habían sido presentados por unos amigos comunes, Dan la había tratado como si fuera algo especial. La cortejaba y la llevaba a los mejores restaurantes de la ciudad. La trataba como si fuera una princesa y él un apuesto príncipe. Y, cuando llevaban tres meses saliendo juntos, le había pedido matrimonio.

Si en algún momento había pensado que las cosas iban demasiado rápido, Leah había preferido ignorarlo. La verdad era que ella no tenía ningún interés en seguir el mismo camino de sus amigas, que planificaban sus vidas como si fueran un menú. Terminar el instituto, ir a la universidad, comprometerse, casarse y tener hijos.

Leah estaba aburrida de estudiar y no había dudado en dejar los estudios y en convertirse en la esposa de Dan, pese a las protestas de sus padres. A los dos meses de la boda, se había quedado embarazada de Sami y…

Y, bueno, allí estaban Dan y ella, intentando recomponer un matrimonio que nunca deberían haber roto.

Leah pestañeó con fuerza, dándose cuenta de que llevaba demasiado tiempo callada. Dan y el doctor McKenna habían iniciado la sesión sin ella.

—¿Perdón?

El doctor McKenna le sonrió.

—Dan acaba de decir que se siente culpable por haber dado su relación contigo por sentada. Por haber esperado que tú estuvieras siempre a su lado, sin hacer ningún esfuerzo.

Culpable. El mismo sentimiento que llevaba dieciséis meses amenazando con ahogarla.

—Y yo me preguntaba qué sentías tú al respecto —añadió el psicólogo, reclinándose en la silla.

Leah inclinó la cabeza hacia adelante y se aclaró la garganta.

—Dan ha tenido que trabajar muy duramente para llegar a donde ha llegado. Yo nunca he cuestionado el compromiso de Dan con su trabajo.

—A lo mejor deberías haberlo hecho —dijo Dan quedamente.

Leah parpadeó, incapaz de pronunciar palabra. Había estado casada con el hombre que estaba sentado a su lado durante doce años y, sin embargo, le parecía un extraño. Había dormido en su cama, le había preparado las comidas, había hecho el amor con él... Y en lo único en lo que podía pensar cuando lo miraba era en que no sabía quién era. O, mejor dicho, ya no sabía quién era ella cuando estaba casada con él.

El doctor McKenna se inclinó hacia delante.

—Creo que Dan está intentando decir, y corrígeme si me equivoco, Dan, que quizá debería haberse comprometido con su trabajo tanto como con su matrimonio.

Dan asintió. No dejaba de mirar a Leah en ningún momento.

Leah volvía a sentir que se ahogaba.

—Y ahora —continuó diciendo el doctor McKenna—, continuemos hablando de lo que ha pasado con Sami durante la semana pasada.

Leah sintió el alivio hasta en la última célula y estaba convencida de que el psicólogo lo había notado.

Jugueteó con el reloj y lo deslizó hacia su mano para poder mirarlo discretamente de vez en cuando. Y rezó pidiendo ayuda para poder soportar los siguientes cuarenta minutos.

—En realidad —lo interrumpió Dan, inclinándose hacia adelante—, me gustaría decir algo antes de que pasemos a hablar de Sami.

El doctor McKenna asintió.

—Me parece bien. ¿Estás de acuerdo, Leah?

Dan la miraba con tanta intensidad que lo único que Leah deseaba era excusarse y salir de la habitación. Pero forzó una sonrisa y asintió.

—Sé que hemos hablado de esto en otras ocasiones, pero me gustaría que fijáramos una fecha para mi posible vuelta a casa.

Dos horas después, Leah estaba sentada en su coche, sintiéndose tan fuera de sí que no era capaz de concentrarse en las tareas más sencillas. La sesión había terminado, Dan le había dado un beso en la mejilla y había ido a buscar a Sami para llevársela a cenar con sus abuelos. Leah había estado conduciendo sin rumbo, intentando encontrar algún sentido a su vida. Pero no había tenido suerte. La comida que en realidad no necesitaba estaba en el asiento de atrás, junto a una botella de vino que no debería haber comprado. El sol comenzaba a ponerse, pintando el cielo de toda la gama imaginable de naranjas y rojos. Leah fijó la mirada en el horizonte, deseando no pensar en nada. No recordar lo que había dicho durante la sesión. No acordarse de que J.T. podía estar todavía en la ciudad y que bastaría que hiciera una llamada de teléfono para que estuviera a su lado en cuestión de minutos.

Lo único que tenía que hacer era ir avanzando paso a paso. Como había hecho en otras ocasiones. Primero un paso, después otro, y, antes de que pudiera darse cuenta, su vida habría recuperado una rutina que le resultaría manejable y caerían bajo el peso de la realidad todos aquellos «si» condicionales para los que no tenía respuesta. Le debía eso a Dan, que, milagro de los milagros, quería volver a ser su marido. Y le debía eso a Sami, a la que le estaba costando tanto acostumbrarse a vivir sólo con su madre que sus notas habían bajado considerablemente y parecía haber olvidado lo que era la felicidad.

¿Y ella? ¿Qué necesitaba ella?

Las palabras de J.T. continuaban persiguiéndola. Y el problema era que en el fondo temía que aquéllas no fueran las palabras de J.T., sino las suyas.

—Esto es lo que necesito —susurró—. Necesito que mi vida vuelva a ser como era. Antes de...

Antes de J.T. Antes de que ella misma destrozara todo aquello que tanto le había costado conseguir. Antes de que hubiera hecho sufrir a su marido y a su hija.

Y, gracias al psicólogo, estaba avanzando en esa dirección. Aunque todavía no había ninguna fecha que marcara el regreso de

Dan a casa... Su silencio tras la petición de Dan había inducido al doctor McKenna a proponer que hablaran de aquel tema en la cita siguiente. Y Leah necesitaba prepararse para dar ese paso. Tanto física como mentalmente.

Había conducido hasta un invernadero situado al sudeste de la ciudad para comprar un par de geranios y en aquel momento se dirigía de nuevo a su casa. El tráfico era escaso mientras conducía entre las elegantes casas que bordeaban aquella carretera.

De pronto, el motor comenzó a petardear.

Leah miró la aguja de la gasolina.

Había llenado el depósito esa misma mañana antes de ir a clase y la aguja todavía indicaba que estaba lleno.

El motor volvió a toser.

Leah vio parpadear una luz roja, indicando que el coche necesitaba una revisión.

Y de pronto el motor pareció morir por completo.

Leah miró tras ella, esperando ver llegar algún coche, pero no había nadie. Salió y, empujando con el hombro, consiguió llevarlo hacia una zona de aparcamiento y después intentó volver a ponerlo en marcha. Aquel coche nunca le había dado problemas. Lo había comprado tres años atrás y no tenía muchos kilómetros. Intentó arrancarlo de nuevo, pero cuando giraba la llave, no se oía absolutamente nada.

Pensó en salir y mirar el motor, pero sabía que no serviría de nada porque jamás había reparado un coche. No tenía la menor idea de cómo identificar el problema y, mucho menos, de cómo arreglarlo en el caso de que fuera capaz de reconocer algo más que un escape de aceite.

El sol se hundía lentamente en el horizonte. Pronto sería de noche y estaba en una carretera desierta. Se estremeció y buscó el teléfono en el bolso. ¿Quién era la última persona a la que había llamado? Rachel. Rachel podría acercarse para hacerle compañía hasta que apareciera la grúa.

Marcó el botón de repetición de llamada mientras buscaba en el bolso la cartera y el teléfono del servicio de emergencia

—¿Diga? —contestó una voz masculina.

Definitivamente, no era Rachel.

A Leah se le cayó el corazón a los pies al recordar que no era su hermana la última persona a la que había llamado, sino J.T. Comenzó a presionar el botón para desconectar el teléfono por segunda vez en el día.

—¿Leah? ¿Eres tú?

Oh, Dios, sabía que era ella.

—Eh, hola —contestó, llevándose la mano

a la frente.

—¿Te ocurre algo?

«Sí», le habría gustado decir. Le estaba ocurriendo de todo.

Pero en cambio, le dijo dónde se encontraba y le pidió que fuera a buscarla.

Media hora más tarde, Leah se abrazaba a sí misma mientras observaba a la grúa llevándose su coche. El mecánico de la grúa no había sido capaz de detectar cuál era el problema y quería llevárselo al taller.

Y la piel le cosquilleaba como si estuviera siendo acariciada por un millón de dedos al saber que J.T. estaba apoyado en su Harley, tras ella. Leah le había pedido que fuera a buscarla y allí había ido. Había aparecido en cuestión de minutos, con los vaqueros ajustados, la camiseta blanca, las botas y la cazadora de cuero. Jamás en su vida había visto nada más espectacular.

Y, curiosamente, en el instante en el que J.T. había aparecido, toda la confusión de Leah se había desvanecido y había sentido una paz de la que huía desde hacía mucho tiempo.

—¿Tienes frío? —le preguntó J.T.

Leah se volvió para responder, pero J.T. posó una mano en su hombro y la envolvió en su cazadora. El rico aroma del cuero combinado con el calor de su piel inundó sus sentidos. Leah sabía que debería negarse, por fría que fuera la brisa nocturna de la primavera.

—Hará mucho frío durante el trayecto hasta tu casa.

Leah se volvió hacia él. Un mechón de pelo cubría sus labios.

—No quiero ir a casa —susurró.

Capítulo ocho

J.T. le dirigió una mirada larga y escrutadora, intentando adivinar en sus enormes ojos cuál era el motivo de aquel comentario.

—No quiero ir a casa, todavía no —dijo Leah otra vez, caminando hacia la Harley.

J.T. permaneció completamente quieto durante largo rato, observando su esbelta silueta recortándose contra la luz. Leah llevaba un par de pantalones de color crema y una camiseta del mismo color. Parecía un ángel rubio en su cazadora de cuero negro.

J.T. ya había sospechado que era ella la que había llamado horas atrás y había colgado. Pero no esperaba que volviera a llamar. Ni que contestara cuando él había dicho su nombre.

La propia Leah parecía sorprendida de haberlo descubierto al otro lado de la línea. Pero no más sorprendida de lo que lo estaba él. Particularmente cuando le había pedido que fuera a buscarla.

J.T. nunca había llevado a Leah en su moto. La última vez que sus caminos se habían cruzado, estaban en otoño, pero no había ningún motivo en particular por el que no la había llevado en su moto. No, ni siquiera la impaciencia de ambos por terminar en la habitación del motel que él había reservado podía justificar su falta de interés por la moto.

Leah miró la Harley como si estuviera intentando decidir la mejor manera de montar en ella.

—Yo montaré primero —dijo J.T.—, después tú te apoyarás en mí, para que puedas subir mejor.

Leah asintió. No había vuelto a mirarlo a los ojos desde que había pronunciado su última frase.

Algo había ocurrido aquel día. Algo más que la ruptura de su coche. J.T. lo sentía con la misma certeza con la que sabía que no iba a recuperar aquella cazadora en mucho tiempo.

J.T. se sentó a horcajadas sobre la moto y esperó. Segundos después, sintió la mano de Leah sobre sus hombros. Y en cuanto estuvo sentada, J.T. abrió las apoyaturas para los pies y le indicó que se apoyara en ellas. A continuación, alargó la mano hacia atrás y la hizo encajarse contra su espalda. Leah jadeó; su calor parecía calar la fina tela de sus pantalones y penetrar por los vaqueros de J.T, abrasándole la piel.

—De esta forma es más seguro —le indicó él—. Ahora, rodéame la cintura con los brazos.

Leah le rodeó vacilante la cintura. J.T. le tomó las manos y tiró suavemente de ellas hasta colocarlas en la parte inferior de su abdomen. Sentía la suavidad de sus senos presionando su espalda.

Ahogó un gemido. ¿Cuántas veces había imaginado un momento como aquél? ¿Cuántas veces se había imaginado montado en la moto con Leah tras él? Demasiadas para poder llevar la cuenta.

Equilibró la moto con las piernas y encendió el motor. Se puso las gafas para proteger sus ojos de la luz y salió a la carretera.

—¿Adónde quieres que vaya? —le preguntó, mirándola por encima del hombro.

No obtuvo respuesta. Por un instante, J.T. pensó que no lo había oído. Y estaba a punto de repetir la pregunta cuando sintió la mejilla de Leah en su espalda.

—Tú sigue.

J.T. escrutó la oscuridad que lo envolvía con la mirada. El sol apenas era ya un recuerdo de colores pastel en el horizonte. Giró hacia los últimos colores del anochecer, hacia el oeste, hacia una carretera prácticamente vacía.

—¿Quieres que vayamos muy lejos?

—Yo te avisaré cuando quiera que te detengas.

106

El aire frío de la noche se enredaba en la melena de Leah y golpeaba su rostro, que ella exponía directamente al viento. Nunca había montado en moto y la sorprendía la sensación de libertad que la envolvía. No había ninguna estructura de metal ni ventanas que la protegieran. Nada que la separara del viento y la naturaleza. El asiento vibraba bajo sus piernas mientras el sólido cuerpo de J.T. la defendía de la fuerza del viento.

Observó la camiseta blanca pegándose contra sus músculos y supo que debía de tener frío. Comenzó a apartar las manos de su cintura, pero él se las atrapó con la mano izquierda, evitando que se moviera.

—No me voy a ir a ninguna parte —protestó ella.

J.T. la soltó a regañadientes y ella abrió la cazadora para proteger también a J.T. del frío. Lo sintió relajarse contra ella.

Los minutos transcurrían lentamente mientras la motocicleta continuaba devorando kilómetros. Montada en aquella moto, a Leah casi le resultaba posible creer que era libre para hacer lo que quisiera. Libre de las preocupaciones de la rutina diaria. Libre para montar hacia al crepúsculo con J.T. Libre para amarlo.

Apartó el rostro del viento y apoyó de nuevo la mejilla en su hombro. Era tan fuerte, tan sólido... Tomó aire, detectando al hacerlo el olor a detergente de su ropa y la almizcleña esencia de J.T. Lentamente, estiró la mano sobre la musculosa pared de su abdomen y lo sintió tensarse bajo la camiseta de algodón. Notó después una mano en su rodilla y se preguntó si sería prudente que J.T. soltara el manillar. Pero en cuanto el calor de sus dedos penetró la tela de los pantalones, todo dejó de preocuparla.

El aire olía a los brotes de la primavera, a las flores renaciendo del invierno, a fresco, a nuevo, era un olor vigorizante. Se abrazó a J.T. con fuerza. Sus senos se estrechaban contra su espalda y sentía cómo el contacto de su cuerpo contra el de J.T. hacía aumentar la humedad entre sus piernas. J.T. incrementó la presión de la mano en su rodilla brevemente y ascendió después hasta el muslo para, desde allí, alcanzar su trasero y estrecharla con más fuerza contra él.

Leah acarició con el rostro su camiseta y lo besó. Qué bien se sentía al poder hacerlo. Algo tan sencillo como poder besarlo en la espalda mientras la moto rugía bajo ellos y devoraba kilómetros avanzando por lugares desconocidos.

Leah continuaba explorando los músculos de su abdomen y subiendo, centímetro a centímetro, los dedos hacia su pecho. J.T.

era más musculoso de lo que recordaba, si es que eso era posible. Era todo acero cubierto por una capa de piel sedosa y algodón. Leah se dispuso a descender y tiró de la camiseta hasta liberarla de la cintura de los pantalones para poder deslizar las manos en su interior. Sintió que J.T. dejaba de respirar durante un instante y observó ponerse de punta el vello de sus antebrazos.

—¿Tienes frío? —le preguntó.

J.T. negó con la cabeza.

—Cariño, cuando me tocas, es imposible tener frío.

Leah sonrió contra su espalda y fue metiendo los dedos por la cintura del pantalón hasta encontrar su palpitante excitación. Tragó saliva. La evidencia de la intensidad de su deseo le robó la respiración, más incluso que la velocidad a la que viajaban. Comenzó a apartarse, pero descubrió que no tenía la fuerza necesaria para hacerlo. Quería, no, necesitaba tocarlo.

Desabrochó el botón de los vaqueros y hundió la mano en los calzoncillos para acariciar aquella carne rígida y ardiente. J.T. tensó la mano en su trasero y Leah gimió, intentando liberar la tensión provocada por el deseo. Estaba tan excitada que si J.T. la hubiera acariciado entre las piernas habría llegado al clímax.

Descubrió una gota húmeda en la punta del pene. La frotó y después liberó su mano para poder saborearlo. Después de lamerse el dedo, fue de nuevo a buscar la erección.

La velocidad de la moto comenzó a disminuir.

Leah miró a su alrededor, preguntándose si habrían llegado a algún cruce de caminos. Pero no había ninguna otra carretera a la vista.

J.T. tensó los músculos de las piernas mientras detenía la moto por completo y plantaba los pies en el suelo. En cuestión de segundos, se había bajado de la moto, se había quitado las gafas y, tras hacer que Leah se sentara de lado, estaba besándola.

—Tú... me vuelves completamente loco —susurró.

Deslizó las manos entre las solapas de la cazadora que él mismo le había prestado, le levantó el jersey y le bajó el sujetador para liberar sus senos. El aire frío de la noche acarició la piel desnuda de Leah. Y Leah jadeó cuando sintió la boca ardiente de J.T. cubriendo la rígida punta de su seno.

Un calor líquido corría entre sus muslos mientras rodeaba la cintura de J.T. con las piernas al tiempo que se apoyaba en el asiento de la Harley. J.T. le lamió y succionó los pezones hasta que Leah ya no parecía capaz de respirar. Entonces alargó la mano hacia ella para ayudarla a deshacerse de sus pantalones y dejar al descubierto su tanga de encaje blanco.

Leah observaba a J.T. mientras éste la devoraba con la mirada. Apenas podía distinguir los planos de su rostro en aquella oscuridad, pero sentía el fuego de su mirada deslizándose desde su rostro hasta su sexo. Apoyándose en un brazo para no perder el equilibrio, le bajó la cremallera de los vaqueros, liberando casi inmediatamente su erección, que llenó su palma mientras ella la rodeaba con los dedos. Estaba... tan excitado.

Oyó desgarrarse un envoltorio y apartó la mano mientras J.T. se enfundaba el preservativo y posaba a continuación su miembro palpitante contra la sedosa entrada de su sexo.

Hacía tanto tiempo que Leah no hacía el amor que en un primer momento vaciló. Más específicamente, habían pasado dieciséis meses desde la última vez que un hombre la había acariciado como la estaba acariciando J.T. en aquel momento. Y, por supuesto, no se le escapaba el hecho de que hubiera sido J.T. ese mismo hombre.

J.T. le acarició un seno y deslizó la mano por su vientre tembloroso hasta alcanzar el botón de su feminidad, haciendo desaparecer todo pensamiento de su mente. Inclinó hacia delante las caderas y se hundió en ella con una delicada embestida que la dejó sin respiración.

Leah no era capaz de hacer llegar el aire a sus pulmones mientras J.T. la llenaba más allá de su propia capacidad. Él se aferró a sus caderas y la abrazó, haciéndola colocarse en el borde del asiento e incorporarse ligeramente para no perder el equilibrio. Entonces salió por completo de ella y posó la punta de su miembro contra el clítoris para, casi inmediatamente, deslizarse de nuevo entre sus pliegues.

Leah echó la cabeza hacia atrás, ofreciendo su rostro a las estrellas. De lo más profundo de su garganta, escapó un gemido. J.T. salió y volvió a penetrarla otra vez. Leah sentía el calor de sus piernas contra la parte interior de sus muslos. Tensó las pantorrillas e intentó seguir el ritmo de sus movimientos.

Se sentía tan bien...

Un ardiente caos iba tensándose en el interior de su vientre, henchía sus senos y aceleraba el ritmo de su respiración. Oyó que J.T. emitía un sonido similar a un ronco gruñido, un sonido que podría haber salido del motor de su Harley. Hundía los dedos en su trasero y la presionaba para que se acercara todavía más a él mientras frotaba el pubis contra el de Leah y continuaba enterrado dentro de ella.

Leah se tensó al mismo tiempo que él. No podía respirar, no podía moverse, apenas era capaz de continuar viviendo mientras sus músculos se contraían, avivando el fuego que recorría su cuerpo y atrapando el duro miembro de J.T. en aquel hueco húmedo y aterciopelado.

Cuando el clímax remitió, J.T. enterró el rostro en su cuello y la abrazó con fuerza mientras Leah sentía el sollozo que iba creciendo en su garganta. J.T. se tensó ligeramente, como si hubiera advertido el estado emocional en el que se encontraba. Se abrochó los vaqueros y la ayudó a subirse los pantalones y a abrocharse la blusa y el sujetador. A continuación, la hizo levantarse de la moto y la abrazó con fuerza contra su pecho.

Leah se aferraba a él como si fuera la única roca en medio de un mar de locura. En el fondo de su mente, temía estar abrazándolo con una fuerza excesiva, pero no podía contenerse. Tras haber hecho el amor con él, tras haber desnudado su alma y su cuerpo en medio de la noche, ya no era capaz de seguir reprimiendo aquello que durante tanto tiempo había necesitado aflorar.

Intentó apartarse de su mirada, evitar que J.T. viera las lágrimas que empapaban sus mejillas, y enterró la cabeza en su cuello, deleitándose en su fragancia, en la textura de su piel contra la suya. Leah no estaba segura de la hora que era, pero sí de que pronto debería estar en casa. Dan estaría a punto de dejar a Sami en casa, si es que no lo había hecho ya. Y su ex marido podía estar esperándola con intención de tomar un café con ella y hablar sobre lo ocurrido en la consulta del psicólogo. Comentar los detalles de su regreso a casa y de su futuro matrimonio.

—¿Leah? —Leah sintió el aliento de J.T. en el oído—. ¿Estás bien?

Leah sacudió ligeramente la cabeza, negándose a moverse. Necesitaba continuar allí durante el mayor tiempo posible.

—No, no estoy bien. Ya nada volverá a estar bien.

Una hora después, el afilado acero de los celos atravesaba el corazón de J.T. mientras observaba a Leah encontrándose con su ex marido en la puerta de su casa. Se aferró con fuerza a las empuñaduras de la moto mientras Dan Burger se inclinaba para darle a Leah un beso en la mejilla. Leah permanecía con los brazos cruzados, como si quisiera protegerse del frío, y volvió la cabeza hacia el final de la calle, sintiendo quizá la presencia de J.T. entre las sombras.

J.T. sabía que debería haberse ido. Debería haberse marchado en cuanto la había dejado en una esquina, a varias manzanas de su casa. Pero no había sido capaz de irse. De manera que había encontrado una sombra bajo un olmo viejo y estuvo observando el coche que Dan Burger había aparcado en la entrada de la casa de Leah hasta que lo vio meterse en él y marcharse.

Observó a Dan mientras pasaba a sólo unos metros de su moto y cruzó con él su mirada a través del parabrisas. Inmediatamente después, puso la moto en marcha y salió disparado en dirección contraria.

Tenía que hacer un gran esfuerzo para no traspasar los límites de velocidad. Sabía que era peligroso dedicarse a espiar a Leah cuando estaba con su ex marido. Ya había recorrido antes ese camino. Incluso antes de su aventura con Leah de año y medio atrás. Aquélla no era la primera vez que tenía relaciones con una mujer casada. Ésa era parte de la razón por la que huía, por la que se había convertido en un fugitivo de la justicia. Y la razón por la que había dejado a Leah la última vez. Y ésa era la razón por la que debería marcharse de nuevo si realmente supiera lo que era mejor para ambos.

Era consciente de que el pasado terminaría atrapándolo, sólo era cuestión de tiempo. Pero siempre había pensado que lo haría en forma de un par de policías y unas esposas. Jamás se le había ocurrido pensar que viviría para ver cómo se repetía su propia historia.

Y, más allá del tiempo que Leah y él habían pasado juntos durante aquel lejano verano de su adolescencia, eso era exactamente lo que estaba ocurriendo: la historia se estaba repitiendo. Estaba enamorado de una mujer que no era suya. Y ella estaba enamorada de él.

La última vez que eso había sucedido, la mujer había terminado muerta.

Y él había sido acusado de asesinato.

Capítulo nueve

—¿QUIERES que te lleve a buscar tu coche? —le preguntó Dan al día siguiente.

Leah acababa de entrar en casa después de las clases matutinas y estaba dirigiéndose a la cocina cuando la había llamado su ex marido.

—No, no hace falta, Dan. El concesionario me ha enviado un coche prestado esta mañana. Gracias a Dios.

Clavó la mirada en la mesa vacía de la cocina. La noche anterior, esperaba algún tipo de recriminación cuando había llegado a casa y había encontrado a Sami y a Dan esperándola mientras tomaban un vaso de leche con galletas. Sin embargo, la habían recibido con los brazos abiertos y se habían mostrado de lo más comprensivos cuando les había relatado su desgracia. Dan incluso le había preguntado por qué no lo había llamado. Podía haber ido a buscarla. Y ella le había contestado que el conductor de la grúa la había dejado cerca de allí.

En aquel momento, le contestó por teléfono:

—Estás siendo muy atento conmigo.

—Sí, supongo que sí. No sé, el doctor McKenna comentó ayer algo que me ha hecho pensar.

Seguramente se refería a aquel comentario que había hecho McKenna sobre que Dan había prestado más atención a su carrera que a su matrimonio.

—Eso y... bueno, quiero volver a casa, Leah. En cuanto tú me lo digas, me presentaré allí.

Leah cerró los ojos un instante sin saber qué decir.

—El doctor McKenna dijo que era preferible que dejáramos el tema para la semana que viene.

—Creo que tendríamos que hablar ya. Tú y yo, cara a cara.

Un escalofrío recorrió la espalda de Leah. ¿Cómo había podido olvidar lo insistente que podía llegar a ser Dan?

—Preferiría que esperáramos —se oyó susurrar.

No obtuvo respuesta.

Se aclaró la garganta y se obligó a decir en un tono más alegre:

—¿Qué tal han ido las cosas por los juzgados?

Se produjo una pausa.

—Bien, bastante bien.

—Estupendo, me alegro de oírlo —se descolgó la bolsa de los libros del hombro—. Gracias por llamar para asegurarte de que todo va bien.

—Te llamaré... bueno, ¿te parece bien que te llame más tarde?

Leah tragó saliva.

—Claro, claro que sí.

Porque realmente necesitaban hablar. Y no precisamente sobre su próxima vuelta a casa, sino sobre la posibilidad de aparcar aquel plan de forma indefinida.

Leah apagó el teléfono inalámbrico y lo dejó en su sitio. Ojalá todo lo demás fuera tan fácil.

Pero al menos iba a poder dormir algo.

Dejó los libros y los apuntes en el mostrador de la cocina y puso agua en la tetera. La noche anterior, después de ducharse y meterse en la cama, se había sentido extrañamente tranquila. A pesar del coche roto. Y a pesar de que Dan y Sami la hubieran recibido al llegar a casa como si acabara de salir a comprar un cartón de leche. Y a pesar de que había hecho el amor con J.T. Suponía que aquel estado de calma tenía que ver con el hecho de haber dejado de luchar contra la atracción hacia el hombre que tantos años atrás le había robado el corazón. O, le aguijoneó la voz de su conciencia, podría ser el acto sexual en sí mismo, el poder liberar la frustración acumulada durante tanto tiempo.

En cualquier caso, tras haber aceptado lo que J.T. quería, iba a tener que enfrentarse a problemas mucho mayores. Y el más importante de ellos eran sus planes de reconciliación.

Sintió la tensión que comenzaba a acumularse en los músculos de su cuello y lo estiró mientras sacaba una taza y la caja de las infusiones. Buscó entre las diferentes opciones y se decidió por una manzanilla. Tras abrir el paquete, metió la bolsita en la taza y se acercó a recoger los platos del desayuno de Sami.

Miró el reloj de la cocina. Faltaban tres horas para que su hija regresara del colegio...

Limpió el mostrador, diciéndose a sí misma que tenía cuentas que pagar, trabajos de clase que terminar, una lista de la compra que hacer y un cuarto de estar por barrer.

Pero lo siguiente que supo fue que estaba apagando la tetera y, con el bolso en la mano, se dirigía hacia la puerta.

J.T. supo que Leah había llegado inmediatamente, a pesar de que conducía un coche diferente, a pesar de que tenía la sierra en marcha y de que estaba de espaldas al camino por el que llegaba. Y lo sabía porque su cuerpo vibraba como la varita de un zahorí cada vez que Leah estaba cerca.

Apagó la sierra mecánica y miró el reloj. Todavía no eran las doce y media. Leah debía de haber salido de clase, había pasado por casa y después había decidido ir a verlo.

Se levantó las gafas protectoras y se volvió para verla salir del coche. Aquel día, Leah llevaba un par de pantalones de color crema y una blusa blanca. J.T. se preguntó si tendría alguna prenda roja en su armario. Algo con un poco de color.

Y también se preguntó si estaría buscando algo más que sexo. Y, a pesar de que él decía no querer otra cosa de ella, lo molestaba que pudiera haber ido allí con la única intención de acostarse con él.

Leah avanzó hacia él con los ojos oscurecidos por el fuego del deseo, los senos presionados contra la blusa y un innegable aire de sensualidad. Se detuvo frente a él, dejó el bolso al lado de la sierra, le quitó las gafas protectoras y comenzó a besarlo.

Dios santo. Era increíble cómo lo afectaba aquella mujer. J.T. estaba allí, empapado en sudor, con los músculos doloridos y el estómago vacío porque no había tomado nada desde el día anterior. Y Leah lo hacía olvidarse de todo con un sólo beso.

—Hola a ti también —musitó J.T. posando las manos en sus hombros y apartándola ligeramente.

Miró hacia la carretera y vio pasar a uno de sus vecinos en una camioneta.

—¿No tienes miedo de que te vean?

—He venido con un coche prestado.

Las sospechas de J.T. sobre los motivos de aquella visita se incrementaron. Él habría preferido que le dijera que no le importaba que pudieran verla. Que lo quería y que eso era lo único que la preocupaba.

Leah lo tomó de la mano y comenzó a caminar hacia el interior de la casa.

J.T. observó la curva de su trasero, preguntándose qué clase de ropa interior se habría puesto aquel día. Y decidió que debía de llevar otro de esos tangas, porque no podía detectar nada parecido a una braga bajo el pantalón.

Leah se detuvo en el interior de la casa y miró a su alrededor. J.T. había dejado su saco de dormir enrollado en una esquina, para protegerlo del polvo y no obstaculizar la entrada. Leah miró inmediatamente en aquella dirección.

J.T. intervino antes de que pudiera decir nada.

—¿Puedo darme antes una ducha?

Leah se volvió hacia él sin dejar de darle la mano y se encaminó hacia el saco de dormir.

—Pero quiero que estés sucio, Josh.

Y su expresión dejaba perfectamente claro lo que pretendía.

Había vuelto a utilizar su nombre otra vez. J.T. tragó saliva y fijó la mirada en aquel rostro rebosante de pasión; en la forma en la que sus ojos se oscurecían y sus pupilas se dilataban. En el rubor que encendía sus pálidas mejillas. En la melena brillante y bien peinada y en el discreto maquillaje. Y supo que un deseo ingobernable lo borraría todo.

Alargó la mano y la hundió en su melena, echándole el pelo hacia atrás, llevando aquellos mechones hasta lo alto de su cabeza y repitiendo la operación con la otra mano hasta dejar su pelo convertido en una maraña desordenada de rizos.

Después se inclinó para comprobar qué podía llegar a hacer con el maquillaje.

Cuando la besó, Leah dejó escapar un gemido que hizo vibrar su sangre y olvidarse del trabajo que le quedaba por hacer, de que estaba a mitad de la jornada y de que, evidentemente, Leah había ido hasta allí en busca de sexo. Buscó el final de su blusa y tiró bruscamente de ella, obteniendo cierta satisfacción al oír un par de botones chocando contra el suelo. Leah lo imitó desgarrando su camiseta.

Ambos desgarraron y desabrocharon prendas hasta terminar completamente desnudos en una habitación sin cortinas e intentando abrir el saco sin dejar en ningún momento de besarse.

Maldita fuera. Pero sabía tan bien. Demasiado bien. Sabía a pasta de dientes, a sol y a un deseo nítido y resplandeciente como el mismísimo infierno. En cuanto el saco estuvo abierto, J.T. la hizo tumbarse sobre él y se deleitó observando con mirada hambrienta su melena derramada sobre la tela azul marino. J.T. gimió y se inclinó para devorar directamente su clítoris y embeberse en la miel de sus profundidades como si Leah fuera una fuente de vida. Sentía sus manos hundiéndose en su pelo, oía sus gemidos profundos, pero sólo podía concentrarse en lamerla, en hacer correr su lengua a través de sus pliegues, en saborear la dulzura de sus jugos y en deslizar la lengua por su clítoris. Continuó lubricando su sexo hasta que la oyó gritar y sintió su delicioso cuerpo disolviéndose en una interminable oleada de espasmos.

Leah se estremecía mientras J.T. la lamía por última vez. Éste reparó en su aspecto febril; sus labios temblorosos, sus ojos somnolientos y el intenso rubor de su piel cremosa. J.T. se puso un preservativo, la hizo volverse y ponerse de rodillas y se colocó tras ella. Leah jadeó. Un jadeo que se convirtió en un ronco gemido cuando J.T. se hundió en su interior.

La noche anterior había sido muy delicado a pesar de su impaciencia. Pero aquel día era presa de una extraña agitación, de una frustración que tenía muy poco que ver con el sexo y mucho con aquella mujer cuyo único interés estaba relacionado con el sexo. Se retiró ligeramente y se hundió en ella otra vez, arrancado otro largo gemido de sus labios y viéndola estremecerse ante sus embates. Se aferró a sus caderas y observó sus propios dedos hundiéndose en aquella piel limpia y cremosa. Después volvió a embestir una y otra vez. Sus movimientos eran frenéticos, dominantes, como si estuviera más interesado en herirla que en obtener placer.

Pero jamás se permitiría hacerle ningún daño. Necesitó toda su fuerza de voluntad para evitarlo y, al final, se derrumbó sobre ella sin respiración, con el cuerpo exhausto y empapado en sudor. Al darse cuenta de que Leah tenía dificultades para respirar, se apartó y se tumbó de espaldas, cubriéndose los ojos con el antebrazo.

Observó a Leah mientras ésta se sentaba a horcajadas sobre él, en posición orgullosa y altiva, con las puntas de sus senos endurecidas. Había conseguido destrozarle el maquillaje y el peinado, pero Leah había emergido todavía más bella, insoportablemente hermosa, casi intocable. J.T. alargó la mano hacia su mejilla. Ella volvió el rostro hacia su mano y le clavó los dientes mientras deslizaba su dulce cuerpo sobre su erección.

J.T. apretó los dientes y estiró el cuello. Estaba tan cerca del orgasmo... A través de los ojos entrecerrados, observaba a Leah moverse hacia delante y hacia atrás sobre su miembro, haciendo mecerse sus senos, con las manos apoyadas en sus hombros y el rostro reflejando toda la intensidad de su pasión. J.T. le hizo apartar las manos de sus hombros, obligándola a apoyarse contra sus muslos. Aquella nueva postura hizo aminorar a Leah la velocidad de sus movimientos y a él le ofrecía una mejor vista del lugar en el que se fundían sus cuerpos. Afuera, el sol comenzaba a deslizarse en el horizonte, bañando a Leah de una luz dorada propia de un sueño. Leah permanecía con los ojos cerrados y la boca entreabierta mientras gemía y continuaba moviéndose sobre su erección.

J.T. se aferró a sus piernas, le hizo abrirlas todavía más y presionó con los pulgares el delicado botón que dejó al descubierto. Casi inmediatamente, Leah gritó y su cuerpo tembló mientras alcanzaba su segundo orgasmo.

Pero J.T. no se permitió llegar al clímax. Apretó los dientes para contenerse, conformándose con observarla. Adoraba ver aquel cuerpo demandante. Y adoraba ofrecerle orgasmo tras orgasmo.

Pero era su corazón lo que él perseguía.

Y se temía que nunca iba a alcanzarlo.

Una hora más tarde, Leah estaba tumbada boca abajo en el saco, completamente agotada y a punto de dormirse. El sol que se deslizaba por la ventana acariciaba su espalda y sentía el sexo palpitante, henchido, casi dolorido después de hacer el amor.

Había sido increíble. Estaba a punto de enfrentarse a una tarde de tareas hogareñas cuando, prácticamente sin darse cuenta, había descubierto a J.T. entre sus piernas, dispuesto a darle un placer tan exquisito como ningún otro hombre le había dado jamás.

Leah giró el reloj que tenía en la muñeca y miró la hora.

J.T. se movió a su lado. Leah se volvió hacia él y lo vio levantarse.

—¿Josh? —le dijo con voz queda.

Lo vio reunir su ropa y dejarla sobre el saco de dormir. Después se puso los vaqueros. Su rostro se había endurecido y sus ojos tenían una expresión indescifrable.

—¿Adónde vas?

—Al cuarto de baño.

Se volvió y caminó hacia una habitación situada al final del pasillo. Leah dio un respingo cuando cerró la puerta tras él, se tumbó boca arriba y miró hacia el techo, siendo vagamente consciente de que le estaba sonando el estómago. Ella, la anfitriona perfecta, la mamá que siempre se aseguraba de que nadie saliera de su casa con el estómago vacío, ni siquiera había pensado en llevar un par de sándwiches o un poco de pollo frito. En lo único en lo que había pensado había sido en el sexo. Y sexo era lo que J.T. le había dado. Leah tragó saliva, preguntándose si iba a ser capaz de caminar correctamente cuando llegara el momento de irse.

Se sentó sobre el saco y se puso las bragas, los pantalones y el sujetador. Y estaba poniéndose la blusa cuando se abrió la puerta del baño y volvió a aparecer J.T. con el pelo mojado, los pantalones abrochados y las gotas de agua brillando sobre la piel de su pecho. Se detuvo cerca de ella, pero en vez de acariciarla, como Leah esperaba que hiciera, alargó las manos hacia sus botas de trabajo y se las calzó sin molestarse en ponerse los calcetines. Después, sacó una camiseta negra de una bolsa que tenía en una esquina, se la puso y salió sin decir palabra.

Leah pestañeó. Ella también pretendía ir al baño a arreglarse. Pero en cambio, salió a grandes zancadas detrás de él. Lo que vio la hizo detenerse sobre sus pasos. J.T. estaba cerca de su banco de trabajo, pero no era en la madera en lo que estaba concentrado, sino en el coche patrulla que acababa de pasar por la carretera.

Leah sintió miedo.

J.T. permanecía con la misma expresión pétrea que Leah le había visto la semana anterior, cuando se había acercado un coche de policía al aparcamiento del bar. Si hubiera habido posibilidad de esconderse, Leah estaba segura de que J.T. lo habría vuelto a hacer.

—¿Qué clase de problemas tienes? —le preguntó en un susurro.

J.T. pareció sorprendido por su presencia. Se la quedó mirando fijamente a través de las gafas protectoras, con la misma expresión con la que había estado mirando el coche de policía que tan lentamente transitaba por la carretera. No contestó a su pregunta y ella se dio cuenta de que tampoco esperaba que lo hiciera. Pero eso no significaba que estuviera dispuesta a renunciar.

—¿Qué está pasando aquí que no quieres contarme? —le preguntó, alargando la mano para retirarle las gafas.

J.T. se las quitó. Sus ojos brillaban peligrosamente bajo el sol.

—Debería ser yo el que te hiciera esa pregunta, Leah. Ya has conseguido lo que has venido a buscar. ¿Ahora no tienes que volver a tu vida?

Leah retrocedió como si acabaran de darle una bofetada en pleno rostro.

—No me merezco eso.

—¿Ah, no? —preguntó J.T. arqueando una ceja—. He estado intentando hablar contigo desde la semana pasada, pero al parecer lo de la conversación no forma parte de tu agenda. Lo único que parece interesarte es el sexo.

Leah dio un respingo y miró de nuevo hacia la carretera vacía.

—¿Qué? ¿No te gusta lo que estás oyendo, Leah? Pues será mejor que te vayas acostumbrando a la idea porque lo que hicimos ayer y lo que hemos hecho hoy ha sido puro sexo. Así de sencillo.

—Quizá sea eso lo que hayas hecho tú —susurró, apartándose de él.

—¿Ah, sí? Entonces dime qué tengo que pensar cuando viene a buscarme una mujer y, sin decir una sola palabra, me seduce para que me acueste con ella —dio un paso hacia Leah, eliminando la distancia que los separaba—. ¿Tú dirías que eso es hacer el amor?

Leah tragó saliva, intentando deshacer el nudo que tenía en la garganta y la sensación de ahogo que la invadía.

—Eso no es justo.

—En ese caso, únete al club. Porque a mí tampoco me parece justo lo que está pasando entre nosotros.

Volvió a mirar hacia la carretera. A través de la nube de dolor en la que J.T. acababa de envolverla, aumentaron las sospechas de Leah de que J.T. tenía alguna clase de problema.

—¿Estás huyendo, J.T.? ¿Ése el motivo por el que no quieres que diga tu verdadero nombre? ¿Ésa es la razón por la que te marchaste de aquí como un fantasma, sin dejar una dirección y sin despedirte siquiera?

Durante largo rato, J.T. no dijo una sola palabra. Volvió a ponerse las gafas y puso la sierra en funcionamiento.

—Creo que será mejor que te vayas, Leah.

Leah asintió. Sí, probablemente debería marcharse. No podía continuar frente a él, oyéndolo cuestionar los motivos por los que había ido a verlo y enfermando de preocupación por su seguridad.

Además, Sami estaría a punto de regresar del colegio.

Mientras miraba fijamente el atractivo rostro de J.T., comprendió que estaba atrapada entre dos mundos irreconciliables. El dolor de su pecho se hizo tan afiliado como la hoja de un cuchillo.

Se volvió, pero J.T. la agarró por la muñeca.

—Dime, Leah, ¿en algún momento has considerado la posibilidad de que hubiera un lugar para mí en tu futuro?

Leah lo miró sin pestañear. Sí, quizá lo había hecho año y medio atrás.

Pero entonces él se había marchado, destrozando todas las esperanzas secretas que ella había estado alimentando.

El recuerdo de aquel dolor se fundía con la confusión de aquel día y la impulsó a mentir.

—No —susurró.

J.T. le soltó la muñeca y ella corrió hacia el coche. El corazón le latía tan violentamente que por un momento temió estar a punto de sufrir un ataque cardiaco. Tuvo que intentar abrir la puerta en dos ocasiones, pero al final, consiguió instalarse tras el volante y dejó a J.T. en el mismo lugar en el que estaba cuando había ido a buscarlo.

Capítulo diez

LEAH cortaba zanahorias y cebollas con movimientos de autómata en el mostrador de aquella luminosa y alegre cocina que parecía haber dejado de brillar y de mostrarse luminosa para ella. De la misma forma que había estado llevando a cabo todas sus actividades desde que había dejado a J.T. dos días antes. Habían pasado cerca de cuarenta y ocho hora desde entonces, pero bien podrían haber sido quince minutos. Sus palabras continuaban doliéndole. Y su cuerpo continuaba anhelando sus atenciones.

Y su vida no había mejorado un ápice desde entonces.

Sami entró furiosa en la cocina. Todo el buen carácter que había mostrado tres días atrás, cuando su padre estaba con ella en la cocina, parecía haberse evaporado. Aparentemente lo estaba reservando para la próxima vez que Dan apareciera.

—No sé por qué papá no puede venir a cenar —dijo Sami, dejando caer el cesto de la ropa sucia y cruzándose de brazos—. Tenemos comida más que suficiente. De hecho, podrías invitar a cenar a toda mi clase.

Leah no apartó la mirada de las verduras por miedo a cortarse, y cuando terminó, las metió en la picadora.

—Ya hemos hablado de esto, Sami —infinitas veces, por cierto—. Tu relación con tu padre es independiente de mi relación con él. Y si los planes que haces con él tienen que ver con esta casa, entonces también me involucran a mí. Y como tú no me consultaste antes de invitarlo...

—Has decidido decir que no —terminó Sami por ella. Dejó caer las manos a ambos lados de su cuerpo—. Pero esta casa también es suya. ¡Él la compró!

Leah se obligó a apartar el cuchillo. No tanto por el riesgo que podía representar para ella como por el riesgo que comenzaba a representar para la cabezota de su hija. Extendió las manos sobre el mostrador y contó hasta diez.

—Sami... —dijo a modo de advertencia.

En realidad, la casa la habían comprado Dan y ella. Leah había asumido una gran parte de su precio con sus ahorros y con el dinero que su padre y su familia le habían regalado el día de su boda. Y, desde que se habían divorciado, estaba haciéndose cargo de los pagos de la hipoteca con una pequeña ayuda de la póliza del seguro de vida de su madre y los beneficios de una inversión que había hecho cinco años atrás en un pequeño comercio local. Todo el dinero que recibía de Dan para mantener a la niña lo estaba ingresando en una cuenta bancaria que había abierto nada más nacer Sami. Leah y Dan se habían mostrado de acuerdo en que, hasta que su hija cumpliera dieciocho años al menos, la casa sería propiedad de Leah. Y cuando más adelante se vendiera, decidirían cuál era legalmente la parte que les correspondía a cada uno de ellos.

Pero cómo explicarle todo eso a una niña de once años. Sobre todo, teniendo en cuenta que nadie, ni siquiera su hermana Rachel, estaba al tanto de la inversión que había hecho en la tienda Women Only, situada muy cerca del parque Raceway. Era accionista de una tienda de lencería y su socia estaba intentando conseguirle una franquicia en otra parte de la ciudad.

—Pon la lavadora, Sami.

Sami le dio una patada al cesto de la ropa sucia, tirando la ropa por el suelo.

—Pon tú esa estúpida lavadora. Ése es tu trabajo. Papá lo dice —la fulminó con la mirada, como si la estuviera desafiando a negarlo—. De todas formas, no haces nada en todo el día…

En aquel momento, a Leah le costaba recordar que había habido un tiempo en el que Sami había sido una niña alegre, feliz, siempre sonriente. Cuando era bebé, raramente lloraba. Había aprendido a andar muy rápido y a hablar todavía más, y le encantaba que le leyeran cuentos. A los cinco años, llegaba a casa corriendo desde la escuela para enseñarle a su madre su último dibujo, que pegaban siempre en la nevera. Y a los ocho años, se había arrojado llorando a sus brazos porque un niño le había llamado algo que no comprendía.

Y de pronto, casi de la noche a la mañana, Sami había cambiado. El psicólogo infantil al que habían consultado les había dicho que era normal aquel cambio de actitud después de su separación. Lo único que tenían que hacer era asegurarle a Sami que ella no era la culpable de la ruptura de sus padres.

Desgraciadamente, parecía que, después de repetírselo tan a menudo, Sami había llegado a la conclusión de que en realidad era Leah la culpable. Y parecía encontrar alguna suerte de placer en recordarle constantemente que jamás se lo perdonaría.

—Recoge tu ropa, Sami, y métela en la lavadora.

Cuánta hostilidad. Observó a su hija volver a meter furiosa la ropa en el cesto, prenda a prenda, expresando constantemente su frustración, y desaparecer en el cuarto de la lavadora.

Leah no era capaz de comprender de dónde había sacado su hija esa conducta. Dan y ella jamás habían discutido ni se habían levantado la voz el uno al otro, y mucho menos en presencia de su hija. Su separación había sido amigable y fría, y también su divorcio. No había habido amargas recriminaciones ni demandas irracionales por ninguna de las dos partes. Había sido todo muy sencillo. Leah le había dicho a su marido que estaba enamorada de otro hombre y él, a regañadientes, lo había aceptado.

La imagen de J.T., tan enorme como los Alpes suizos y dos veces más impresionante, emergió en su mente, haciendo que se le secaran las manos.

Había olvidado que le había hablado a Dan de J.T. No, en realidad no había utilizado su nombre. Dan nunca le había preguntado quién era él. Sencillamente, una noche, cuando Leah había llegado tarde a casa, Dan le había preguntado dónde había estado y ella le había confesado que había otro hombre en su vida y que quería el divorcio. Dan había trasladado sus cosas al estudio del piso de abajo y se había mostrado de acuerdo en concedérselo.

Al día siguiente, Leah no había sabido nada de J.T. Y tampoco al otro. Y había pasado después toda una semana. Dan había cambiado de casa. Y habían conseguido la separación legal. Y, cuando había pasado ya un mes sin que volviera a tener noticias de J.T., Leah había llegado a aceptar que probablemente no lo vería nunca jamás.

Había continuado con los trámites del divorcio, por supuesto. Para entonces, ya era tarde para dar marcha atrás.

Durante la Navidad del año anterior, Dan por fin le había preguntado por el hombre causante de su divorcio y ella le había contestado que había desaparecido mucho tiempo atrás. Entonces Dan le había pedido que considerara la posibilidad de que volvieran a casarse.

Leah no había visto ningún motivo para negarse. Dan era el padre de su hija. Eran amigos. Ella lo había querido una vez y, seguramente, podría volver a quererlo.

Entonces había vuelto J.T.

El aceite de la sartén que había dejado sobre la cocina comenzó a arder. Leah abrió los ojos apartó la sartén y sofocó la llama.

—¡Mamá! —la voz de Sami llegaba desde el cuarto de la lavadora.

Leah se secó las manos en un trapo de cocina y corrió a ver cuál de las prendas de su hija se había estropeado en aquella ocasión. Pero cuando abrió la puerta, encontró a Sami con el agua hasta los tobillos.

Inmediatamente, ordenó a su hija que saliera, para evitar cualquier riesgo de electrocución, alargó la mano y cerró la llave del agua.

—Papá se va a poner hecho una fiera cuando se entere de cuánto nos va a costar todo esto.

«Que papá se vaya al infierno», habría querido decir Leah.

Pero, en cambio, regresó a la cocina y marcó el teléfono de la única persona que quería que fuera a ayudarla.

J.T. permanecía en el umbral de la puerta con las herramientas en la mano, preguntándose qué demonios estaba haciendo allí. Había visto el coche de Leah cuando había aparcado, de modo que imaginaba que ya se lo habían arreglado. De alguna manera, durante todo aquel tiempo, se había sentido molesto al saber que Leah continuaba su vida normal, la rutina de cada día, sin incluirlo en sus actividades.

Hasta que, de pronto, había decidido incorporarlo a una de ellas.

La puerta se abrió de par en par y apareció la hija de Leah, una picaruela de once años, Sami.

Al igual que ocurría con otros muchos temas, Leah no le había hablado mucho de su hija. J.T. sospechaba que porque no quería arriesgarse a hablar excesivamente de nada en absoluto. Pero, a juzgar por la recelosa expresión de la niña, no parecía muy inclinada a simpatizar con él. De hecho, aquella niña parecía capaz de odiar al mundo entero.

—¿Quién eres y qué quieres? —preguntó Sami, confirmando las sospechas de J.T.

—¡Sami! —llegó hasta él la voz de Leah desde el interior de la casa—. ¿Es esa forma de recibir a un invitado?

La niña la miró por encima del hombro.

—No es un invitado, es un tipo que vende algo.

Leah apareció detrás de su hija, posó las manos en sus hombros y se los apretó, ganándose una mueca de Sami.

—Sami, saluda al señor West.

Sami dijo algo ininteligible que podría ser considerado un saludo.

—Si pretendes venir a cenar, mala suerte. Mi madre no quiere invitados esta noche.

Leah miró fijamente a su hija, dio media vuelta y señaló las escaleras.

—Despídete del señor West y sube a tu habitación hasta que te llame.

—Adiós, señor West.

La niña subió las escaleras de dos en dos y, a los pocos segundos, se oyó un portazo. Leah se sobresaltó.

J.T. siguió mirando hacia las escaleras por las que había desaparecido aquel pequeño demonio.

—Jamás me acostumbraré a esto —dijo Leah con una temblorosa sonrisa.

Le hizo un gesto para que entrara y J.T. obedeció. No pudo evitar fijarse en que Leah miraba hacia fuera antes de cerrar la puerta para comprobar si alguien lo había visto entrar. J.T. miró a su alrededor.

—Supongo que tú también diste unos cuantos portazos cuando tenías su edad.

Leah pestañeó, como si la hubiera sorprendido aquel comentario. Después, frunció el ceño.

—¿Sabes? Probablemente tengas razón.

J.T. permanecía en el vestíbulo, mirando con curiosidad la lámpara de araña, los paneles de madera de las paredes y el suelo de parqué. Sabía cuánto dinero hacía falta para pagar una casa como aquélla. Y, desde luego, era dinero que él no podría reunir en muchísimo tiempo.

Se aclaró la garganta. Siempre había sabido que Leah pertenecía a una familia adinerada. Cuando eran adolescentes, siempre llevaba la última, la más codiciada marca de vaqueros, pasaba horas preparándose para acontecimientos que no durarían ni la mitad de tiempo que empleaba en arreglarse y su familia alquilaba, quizá incluso la tenía en propiedad, una cabaña de cuatro dormitorios en el campo, en la que pasaban todo el mes de agosto.

A diferencia de ella, J.T. siempre había llevado cualquier prenda que le valiera y su padre y él vivían en una destartalada caravana, en la que, por supuesto, pasaban todo el año.

Pero, de alguna manera, cuando acariciaba a Leah, todo eso desaparecía y quedaba solamente un hombre, una mujer y la intensa atracción del uno hacia al otro.

Una atracción que no disminuía ni siquiera en el vestíbulo de la casa que Leah había compartido alguna vez con su ex marido.

Maldita fuera. Estaba preciosa. Y J.T. no estaba pensando en los productos que seguramente utilizaba para el pelo. Ni en el carísimo conjunto que llevaba. Lo que lo atraía era el resplandor de su piel, la claridad de sus ojos y la tensión de su cuerpo.

La descubrió mirándolo con curiosidad y comprendió que seguramente Leah estaba pensando lo mismo que él.

No, la atracción no había cambiado. Pero

lo que J.T. se había permitido hacer en relación con aquel sentimiento había cambiado por completo.

—¿Me has dicho que querías que te ayudara a secar un lago? —dijo quedamente, obligándose a dejar de pensar en ella.

—¡Oh, sí! Lo siento —lo condujo hacia la cocina—. El cuarto de la lavadora está por ahí.

J.T. la siguió, observando el movimiento de su trasero bajo el pantalón beige. ¿Es que ya no se ponía nunca unos vaqueros? No hacía muchos años que no llevaba otra prenda… Aunque quizá aquélla fuera una mujer completamente diferente.

Leah empujó una puerta.

—No sé qué puede haber pasado. He recogido la mayor parte del agua. Había casi cinco centímetros.

J.T. se agachó para comprobar el estado en el que había quedado el suelo.

—¿Tienes sótano?

—Sí.

—Después tendré que bajar a echar un vistazo para asegurarme de que no ha sufrido daños.

Leah asintió.

J.T. intentó ignorar lo mucho que deseaba olvidar lo que había pasado entre ellos dos días atrás y limitarse a acariciarla. Leah olía maravillosamente y él sabía que su sabor era incluso mejor. Él, sin embargo, se había pasado el día trabajando, estaba cubierto de sudor y serrín y, probablemente, olía como un pedazo de carne del día anterior. Abrió la bolsa, sacó las herramientas, abrió la lavadora y se dispuso a echarle un vistazo.

Advirtió entonces que Leah continuaba en el marco de la puerta.

—Supongo que no me necesitas, ¿verdad? —dijo con un susurro. El deseo ardía en su mirada.

J.T. negó con la cabeza. Temía que la voz lo pudiera traicionar.

—De acuerdo. Yo... estaré en la cocina, terminando de preparar la cena —comenzó a alejarse—. Ah, y, a pesar de lo que ha dicho Sami, estás invitado a cenar.

J.T. se quedó mirándola fijamente, intentando averiguar los motivos que podría haber tras aquella invitación, pero Leah se marchó.

—Supongo que antes deberías arreglar las cosas con tu hija —dijo J.T.—. Creo que ella tiene algo que decir sobre el hecho de que me quede a cenar.

Tomó una llave inglesa y abrió la espita del agua. No esperaba nada en concreto, pero lo sorprendió que comenzara a salir agua por la cañería, revelando que había sido cortada.

Se sentó en cuclillas y miró a su alrededor. Era extraño.

Se levantó y regresó a la cocina. Aminoró el paso cuando descubrió a Leah de espaldas a él, añadiendo verduras cortadas a la sartén. Por muchas veces que la viera, aquella mujer continuaría quitándole la respiración. Pero aquélla era la primera vez que la veía haciendo una labor doméstica.

J.T. había crecido sin madre, de manera que sólo había visto a su padre en la cocina y sus habilidades culinarias se limitaban a meter comida congelada en el horno y, años después, en el microondas. Él, de vez en cuando, hacía algo más ambicioso, como cocer salchichas alemanas en cerveza o prepararse un chile que le abrasara la garganta, pero en general, sus comidas consistían en comida congelada o de lata.

Ver a Leah en aquel contexto le resultaba... extraño. Era como si estuviera viendo algo que no tenía derecho a ver. Como si estuviera viéndola dándose un baño, algo que, por cierto, le habría encantado.

Leah terminó lo que estaba haciendo y se sobresaltó cuando se volvió y descubrió a J.T. al otro lado del mostrador de la cocina.

—Me has asustado.

J.T. observó la manera en la que un mechón de pelo se deslizaba por su cuello y deseó apartárselo… con la boca.

—Necesito ir a buscar más herramientas. Vuelvo en cinco minutos.

Leah apartó la mirada de sus ojos y la fijó en su pecho. Después, volvió a mirarlo a la cara.

—De acuerdo, dejaremos la puerta abierta, así que entra cuando quieras.

—Preferiría no arriesgarme —contestó, pensando en Sami.

—De acuerdo, en ese caso, llama e iré yo a abrirte esta vez.

J.T. abandonó la habitación.

Leah se derrumbó contra el mostrador con el corazón latiéndole a mil por hora mientras oía la puerta cerrarse tras J.T.

No sabía por qué había reaccionado de esa forma. Pero volverse y encontrarlo allí, con los vaqueros y la camiseta, le había parecido tan… algo tan apropiado. Sus vaqueros mostraban las pruebas de todo un día de trabajo, pero Leah imaginaba que debía de haberse cambiado la camiseta antes de ir, y el pelo todavía lo tenía mojado.

—¿Se ha ido?

Leah pestañeó y fijó la mirada en el rostro de su hija. Frunció el ceño y se dispuso a lavar en el fregadero la tabla de cortar la verdura.

—Ha ido a por más herramientas.

Sami elevó los ojos al cielo.

—Debería haberlas traído con él si se gana la vida con ellas.

—Él no se gana la vida con eso. Es un amigo que ha venido a hacerme un favor.

Ignoró la mirada acusadora de su hija mientras apartaba la tabla y comprobaba cómo estaba el pan que había metido al horno. Al advertir que estaba prácticamente hecho, lo sacó para que comenzara a enfriarse.

—¿Por qué no has llamado a papá?

Leah fingió no estar en absoluto afectada por la pregunta de su hija.

—Porque tu padre sería el primero en admitir que no sabe arreglar una cañería.

—Eso no lo sabes. A lo mejor está recibiendo clases o algo así. Como tú.

Leah dudaba que su hija supiera siquiera qué tipo de clases estaba recibiendo ella. Probablemente, no tenía el menor interés en saber que estaba estudiando para terminar una diplomatura que había comenzado doce años atrás y que había tenido que abandonar cuando se había quedado embarazada.

—A lo mejor debería llamarlo —dijo Sami.

Leah la miró fijamente mientras su hija levantaba el auricular.

—Cuelga ahora mismo, Sami.

—¿Por qué? Estoy segura de que...

Leah le quitó el auricular de la mano y lo dejó en su lugar.

—J.T. ya se está ocupando de esto. ¿No crees que sería de mala educación hacerlo venir hasta aquí con más herramientas y que descubriera que hay otra persona arreglando la lavadora?

—Yo creo que tú eres la maleducada —repuso Sami.

—Y yo creía que te había dicho que te quedaras en tu habitación hasta que te llamara.

—Lo he oído marcharse.

Lo decía en el mismo tono en el que habría hablado de una serpiente.

—Bueno, pues va a volver, así que será mejor que subas a tu habitación, ya sabes, para que no te pegue los piojos o cualquier otra cosa horrible.

Sami elevó los ojos al cielo, pero, para sorpresa de Leah, asomó a sus labios una tímida sonrisa.

—Los piojos se pegan en la guardería, mamá.

Leah le devolvió la sonrisa.

—Entonces, cualquier otra cosa que no quieras que te contagien.

—¿Herpes?

—¿Qué sabes tú de herpes, Sami?

Pero para entonces, su hija ya había abandonado la habitación. Y aquella vez, gracias a Dios, no dio ningún portazo.

Una hora después, J.T. salía del cuarto de la lavadora. Leah y su hija estaban sentadas a la mesa de la cocina, aunque ninguna de ellas tenía nada en el plato.

—Ya he terminado —dijo. Señaló hacia el fregadero y preguntó—: ¿Te importa?

—No, no, adelante.

Abrió el grifo y comenzó a lavarse. Leah se había levantado de la mesa y permanecía apoyada en el respaldo de una de las sillas. Cuando terminó de lavarse, J.T. se secó las manos con unas servilletas de papel y se volvió hacia ellas.

—Sami y yo queremos invitarte a cenar con nosotras.

J.T. miró a la niña con los ojos entrecerrados. Sami fingía no estar prestando atención, pero J.T. estaba convencido de que no perdía un solo detalle.

¿Cuántas veces había imaginado una situación como aquélla? Leah, su hija y él compartiendo una cena en la mesa de la cocina.

El único problema era que eso no resolvía en absoluto su situación. Continuaban en el mismo lugar en el que estaban dos días atrás, que era en ninguna parte, por mucho que le hubiera gustado creer que las cosas eran de otra manera.

—Lo siento —dijo, y tomó su bolsa—, pero tengo otros planes.

Tanto Leah como Sami se volvieron hacia él. En los ojos de Leah leyó sorpresa y desilusión. En los de Sami, adivinó un inmenso alivio.

—Eh, de acuerdo —dijo Leah, que parecía no saber qué hacer con las manos—. Entonces, ya nos veremos —y se dispuso a acompañarlo a la puerta.

—Asegúrate de darle una buena propina —dijo Sami tras ellos.

J.T. advirtió la mueca de Leah.

—Afortunadamente, no tiene la menor idea del tipo de propina que pediría —dijo J.T. cuando estaban ya en el vestíbulo.

Se detuvieron allí y Leah lo miró sin saber cómo responder a aquella marcha tan repentina. Al final, comenzó a decir:

—Gracias. Gracias por haber venido tan rápido. Y por arreglar la lavadora…

—No he arreglado la lavadora. He arreglado la cañería. Y, por cierto, tengo que decirte que parece que alguien la ha cortado.

—No lo entiendo, ¿quieres decir intencionadamente?

J.T. asintió y se apartó el pelo de la cara.

—Sí, con una sierra.

—¿Habrá sido Sami?

J.T. negó con la cabeza.

—No, ella no tiene fuerza suficiente para hacer algo así —se echó el cinturón de las herramientas al hombro—. En cualquier caso, he pensado que deberías saberlo.

Abrió la puerta y salió.

—¿Josh?

J.T. se volvió hacia ella. El estómago se le tensaba cada vez que Leah utilizaba su verdadero nombre.

—Yo… siento lo que te dije el otro día.

J.T. bajó la mirada hacia sus pies y asintió.

—Sí, yo también.

Se volvió y se alejó de allí sin saber qué decir. Sin saber qué más podía decir.

Capítulo once

POR mucho que deseara Leah volver a ver a J.T. esa misma noche, se negó aquella oportunidad. Después de todo lo que se habían dicho, y de lo que habían dejado de decirse, todo estaba demasiado reciente como para volver a atizar el fuego tan pronto. J.T. había dado completamente en el blanco al decirle lo que le había dicho. Leah le debía mucho más de lo que podía ofrecerle. Su cuerpo podía ser de J.T., pero ¿y su corazón? Leah lo amaba más allá de la locura, pero temía que eso no fuera suficiente.

Ocurriera lo que ocurriera, Leah sabía que si volvía a casa de J.T. terminarían de nuevo en el saco de dormir, entregándose a toda la pasión que ardía por sus venas. Y, dejando a un lado la profunda satisfacción física, eso sólo serviría para profundizar la confusión que había entre ellos.

Leah dejó a Sami a las siete con su grupo de estudio y fue a ver a su hermana. Y se cuestionó la sensatez de su elección cuando encontró a Rachel de rodillas rodeada de muestras de ramos de novia y probando diferentes tipos de vinos.

Rachel cerró los ojos al ver a Leah y exclamó entusiasmada:

—Justo la persona que necesitaba.

Caminó hacia el cuarto de estar meciéndose ligeramente y estuvo a punto de tirar el contenido de su copa sobre la alfombra.

Leah miró alrededor de la recién restaurada casa que su hermana había comprado unos meses atrás en la zona de Harmonya. Cada vez que iba a verla, descubría que había añadido algo más, y aquella vez no fue una excepción. Había distribuido por toda la casa ramos de flores secas, lo que le daba un aspecto hogareño y femenino.

—Toma, prueba esto —Rachel había servido un generoso dedo de vino tinto en otra copa de cristal y se la tendía en ese momento a su hermana—. Creo que éste es el que voy a utilizar.

Leah aspiró el aroma del vino y lo movió en la copa para que sedimentara antes de saborearlo como una auténtica experta.

Y estuvo a punto de escupirlo.

—Sabe a vinagre.

Rachel echó la cabeza hacia atrás y soltó una carcajada.

—Eso es lo mismo que ha dicho Gabe —se encogió de hombros y añadió más vino a su copa—. Por eso creo que es el mejor para la celebración —dijo, con expresión contrariada.

Leah atrapó a su hermana cuando estaba a punto de pisar un ramo de rosas blancas y rosas.

—Creo que estás destrozando las muestras de ramos.

Rachel permitió que su hermana la condujera hasta uno de los sofás que había frente a la chimenea.

—Gajes del oficio, supongo —ondeó la mano y mostró de pronto un gran interés en su propio gesto, pues continuó moviendo los dedos delante de su propio rostro.

—Ya sabes, ser una novia supone un montón de trabajo.

—Háblame de ello —Leah se sentó al lado de su hermana y, disimuladamente, se sirvió el vino de Rachel en su propia copa. Después, llenó de agua la copa de Rachel—. Me basta recordar mi propia boda para prometerme que no volveré a casarme otra vez.

Se interrumpió al darse cuenta de que no sólo estaba planificando una nueva boda, sino que pensaba casarse con el mismo hombre con el que se había casado doce años atrás.

Rachel tomó su copa e hizo una mueca cuando se dio cuenta de que era agua. Alargó la mano hacia la botella de vino, pero Leah se la apartó.

—Eh, eso me ayuda.

—Sí, bueno, pero ya es hora de que tu ayuda descanse por esta noche —dejó la botella en el otro extremo del sofá, en el suelo, convencida de que Rachel la olvidaría—. Y ahora, cuéntame qué te pasa. ¿Es por la casa? ¿Gabe y tú todavía no habéis decidido dónde vais a vivir?

Rachel arrugó la nariz. Aquel gesto, combinado con su pelo corto, la hizo parecer una adolescente de dieciséis años.

—No. Bueno, sí, pero no es eso lo que me molesta esta noche.

Tomó uno de los ramos y comenzó a deshojar las flores, supuestamente con intención de arreglarlas.

—¿Te gusta éste? Gabe lo odia. Y es mi favorito.

Leah intentó disimular una sonrisa, pero no lo consiguió. Su hermana la miró con el ceño fruncido.

—¿Cuál es el problema? ¿Las flores? —le preguntó.

Rachel dejó caer los brazos y las flores terminaron en su regazo.

—Ése es un problema. El vino es otro problema. Y el color de los vestidos de las damas de honor también —se inclinó hacia delante, acercándose a su hermana—. Por cierto, creo que estarías magnífica vestida de rojo. Nunca te pones nada rojo, ¿por qué?

Aquélla era una pregunta incómoda para Leah, de modo que la evitó.

—Entonces, ¿Gabe y tú no coincidís en los gustos relacionados con la boda?

—¿Que si no coincidimos? Gabe tiene suerte de que podamos dirigirnos todavía la palabra. Lo que quiero decir es que yo estoy intentando llevar mi despacho de abogados, cuando no estoy en una reunión del ayuntamiento y, al mismo tiempo, me estoy dejando la vida para poder sacar adelante la boda. Y lo único que hace él es desdeñar todo lo que elijo. «Eres tú la que se ocupa de la boda, cariño, confío en ti» —soltó un bufido burlón—. Es una suerte que sea tan bueno en la cama, porque si no lo fuera, lo mandaría todo a paseo.

Leah se llevó la mano a la boca para esconder una sonrisa.

—¿Te estás riendo? Te estás riendo de mí, ¿verdad? —la acusó Rachel.

Leah negó con la cabeza.

Su hermana dejó escapar un largo suspiro, apoyó los pies en la mesita del café y se hundió en el sofá.

—Sí, es lo mejor que puedes hacer. Si yo estuviera en tu lugar, probablemente también me reiría de ti.

Bebió un sorbo de agua y miró a su hermana por encima del borde de la copa.

—Y, por cierto, ¿qué estás haciendo tú por aquí? ¿No tienes una hija de la que ocuparte? ¿O un ex marido con el que reconciliarte?

Leah se quitó los zapatos e imitó a su hermana, poniendo los pies sobre la mesita del café.

—¿También tú ves mi vida de esa forma? ¿Como una sucesión de obligaciones? —tomó el ramo que tenía Rachel en el regazo—. Ésta es la segunda vez que me lo dicen hoy. «Hacer la colada forma parte de tu trabajo», sí, creo que ha sido así como lo ha dicho Sami.

—¿Y no le has hecho comerse la ropa sucia?

Leah sonrió y volvió la cabeza hacia su hermana.

—No, pero admito que se me ha ocurrido esa posibilidad.

Rachel se acercó tanto a ella que sus cabezas prácticamente se tocaban.

—Tengo la sensación de que tú también has tenido un día asqueroso.

—Sí, ésa es una buena forma de definirlo —tomó aire—. Rachel, ¿tú qué piensas de Dan?

—¿A qué te refieres? —preguntó Rachel con cierto recelo—. ¿A lo que pienso de él como hombre en general o a lo que pienso de él como marido?

—A las dos cosas.

Rachel tomó el ramo, se lo tendió a Leah y observó a su hermana mientras ésta arreglaba los capullos de seda.

—No sé, supongo que está bien.

—¿Sólo bien?

Rachel se encogió de hombros.

—Me acuerdo de la primera vez que lo llevaste a casa para que conociera a papá y a mamá —se frotó la nariz con el dorso de la mano—. Mamá dijo algo así como: «Vaya, qué hombre más atractivo. Y parece que te adora, ¿verdad?». Y me acuerdo de que yo pensé: «Sí, pero ¿qué siente Leah por él?».

Leah desvió la mirada y continuó jugueteando con el ramo de rosas. Aquellas palabras se parecían demasiado a la pregunta que le había hecho J.T. en el aparcamiento del supermercado: «¿Lo quieres?».

—A papá le gustaba.

Rachel sonrió.

—Papá adoraba a Dan —hizo un gesto con la mano—. Tenían muchas cosas en común. Creo que papá consideraba a Dan como una especie de hijo adoptado que seguiría sus pasos y terminaría convertido en juez.

Leah sonrió, recordando cómo había sido la relación entre su padre y su marido.

—Sí, y creo que eso es lo que Dan realmente quiere.

—¿Te estás replanteando la posibilidad de volver a casarte?

Leah se limitó a asentir y se mordió el labio para no terminar explicando los motivos.

—Entonces, no te vuelvas a casar.

Leah miró a su hermana con los ojos entrecerrados. Era el vino el que estaba hablando. Tenía que ser el vino.

Rachel se incorporó en el sofá y bajó los pies de la mesa.

—Estoy hablando en serio, Leah. Si te lo estás replanteando, no te atrevas siquiera a continuar con el proceso de reconciliación. No sería justo para Dan y, lo más importante, tampoco sería justo para ti.

Leah tragó saliva mientras ponía los pies en el suelo.

—Pero Sami quiere que volvamos a ser una familia.

—Y dentro de tres años, querrá que le compres un coche. ¿Eso significa que le comprarás uno?

Leah entornó los párpados.

—Estoy hablando en serio, Leah. Antes de que puedas darte cuenta, Sami será una adolescente con un montón de problemas que no tendrán nada que ver contigo y con

Dan. Tendrá citas, planificará su propio futuro, comenzará a leer revistas de boda. ¿Y después que pasará, qué haréis Dan y tú? ¿Volveréis a divorciaros?

Lo que su hermana le estaba diciendo tenía tanto sentido que Leah no comprendía cómo no había sabido verlo por sí misma.

—Además, tontuela, vosotros ya sois una familia. Es posible que no viváis bajo el mismo techo, pero tú siempre serás la madre de Sami y Dan siempre será su padre. Y ella siempre será vuestra hija —se encogió de hombros y volvió a tomar el ramo—. Creo que ya es hora de que admitas que estás harta de ser un ama de casa modelo y te concentres en hacer tu propia vida.

Tomó una caja que había en una esquina de la mesa. Leah comprendió que eran bombones. Rachel se tomó su tiempo en elegir uno y después le tendió la caja a Leah para que hiciera lo mismo. Ambas masticaron el dulce con expresión pensativa.

—Ya tengo una vida, ¿sabes?

Rachel sonrió.

—Sí, lo sé. Has vuelto a estudiar.

Leah negó con la cabeza mientras elegía otro bombón.

—No, no estoy hablando sólo de eso.

Y, sorprendentemente, tampoco estaba hablando de J.T.

—No me digas que estás enganchada a los fines de semana de Jefferson.

Leah echó la cabeza hacia atrás y soltó una carcajada.

—No, no es eso —se chupó los dedos y alargó la mano hacia la copa de agua—. Estoy pensando en abrir una tienda de lencería.

Rachel la miró abiertamente sorprendida.

—¿Qué?

—No te muestres tan sorprendida —respondió su hermana, casi ofendida.

—¿Por qué no? Es así como me siento en este momento —agarró la botella de agua en vez de la copa y prácticamente la vació—. Dios mío Leah, durante los últimos once años sólo te he oído hablar de Sami, de la casa y de Dan.

Leah se encogió de hombros.

—¿Y?

—Pues que abrir una tienda de lencería... —de repente, saltó con entusiasmo en el sofá—. Oh, háblame de ello. Dime, ¿cómo se te ha ocurrido la idea? ¿Y dónde la pondrías? ¿Qué tipo de lencería te gustaría vender?

Leah soltó una carcajada, cada vez más complacida con la idea. Le habló a su hermana de la reunión que había tenido con Ginger Waserman cinco años atrás, cuando había empezado a intentar sazonar su vida amorosa con Dan. El intento de caldear las cosas entre las sábanas había quedado en nada, pero su relación con Ginger había ido a más. Hasta el punto de que, cuando se había planteado la posibilidad de ampliar el negocio de Ginger, Leah no había vacilado en poner su dinero y en convertirse en socia secreta del establecimiento.

Y en aquel momento, Ginger la estaba animando a abrir su propia tienda. Algo más moderno y para clientes con un mayor nivel adquisitivo, pero con el mismo tono que Women Only.

—Oh, Dios mío, fui a esa tienda en una ocasión —susurró Rachel, con los ojos abiertos como platos—. ¿No era allí donde ofrecían clases de...?

—Masajes, terapias sexuales, danza del vientre...

—Estuve allí con Jenny. ¿Te acuerdas de Jenny? Iba al instituto con ella. En cualquier caso, parte de su despedida de soltera consistió en una clase sobre cómo volverlos completamente locos.

Leah sonrió.

—Sí, tenía que ser allí —se aclaró la garganta y bebió un sorbo de agua—. Aunque no creo que ofrezca el mismo tipo de servicios en West End.

—¿Y por qué no? —Rachel estaba emocionada—. Es sólo para mujeres, ¿verdad? Así que debería tener todo tipo de fantasías femeninas.

Y continuaron hablando de los posibles planes de Leah. Planes que no incluían ni a Dan, ni a Sami ni a J.T. Planes que eran estrictamente para ella.

Y, en algún momento de la conversación, ambas volvieron a poner los pies en la tierra.

—Sabes lo que eso significa, ¿verdad? —le preguntó Rachel quedamente.

Leah tragó saliva.

—¿Que a Leah y a Sami no les va a gustar?

Era curioso, no creía que a J.T. le importara. Y no porque supiera lo que a J.T. podría gustarle o no. Sino porque tenía la sensación de que él la apoyaría en cualquier cosa que quisiera hacer.

—No, lo que eso significa, hermanita, es que vas a hacerme un magnífico regalo de boda —soltó una carcajada—. Eso, además de un buen descuento.

Más tarde, esa misma noche, Leah permanecía en su enorme cama, con los brazos detrás de la cabeza y la mirada clavada en el techo. Por primera vez desde hacía mucho tiempo estaba sonriendo. Y no por algo relacionado con Sami. Ni con J.T. Ni siquiera con su hermana. Sino por algo que iba a hacer ella misma.

Estiró las piernas y miró el reloj. Eran más de las once. Sami ya debía de estar dormida. Y todo lo que tenía que hacer en casa estaba hecho. Sentía una urgencia casi sobrecogedora de comenzar a poner en marcha sus planes en cuanto pudiera.

Sonó el teléfono de la mesilla de noche. Lo miró sobresaltada. ¿Sería Dan? Era probable. Era el único que podía llamar a aquella hora.

Descolgó el auricular al segundo timbrazo.

—¿Leah?

Definitivamente, no era Dan.

El corazón le dio un vuelco en el pecho y comenzaron a sudarle las manos.

—¿J.T.?

Oyó algo, como si J.T. estuviera cambiándose el teléfono de mano, y al final oyó un carraspeo.

—Siento llamar tan tarde, espero no haberte despertado.

—No, no estaba durmiendo.

—Lo sé, puedo ver la luz de tu habitación.

Leah se sentó en la cama y miró hacia la

calle. Cruzó la habitación y abrió la cortina.

—Estoy a tu izquierda, detrás de una furgoneta.

Leah lo vio apagar y encender los faros de su moto. Se sentía como una adolescente a la que podía descubrir su padre en cualquier momento.

—¿Qué estás haciendo ahí?

—Yo tampoco podía dormir —contestó con voz queda.

—Dame un par de minutos, ahora mismo bajo.

—No, no te llamo por eso.

Leah se apartó de la ventana; ojalá pudiera ver su expresión.

—No te comprendo.

J.T. rió suavemente.

—Te llamo para pedirte una cita, Leah. Podemos ir a cenar, o a lo mejor al cine.

Leah sintió que se le tensaba el estómago.

—¿Qué? —susurró.

—Mañana por la tarde. ¿Qué te parece a las siete?

J.T. había ido hasta su casa a las once de la noche para pedirle una cita. Leah tenía la sensación de que había vuelto a convertirse en una adolescente que actuaba a escondidas de sus padres.

Dan iría a buscar a Sami a las seis para

pasar con ella el fin de semana. De modo que tendría tiempo más que suficiente para prepararse para cualquier cosa que J.T. tuviera en mente.

Por supuesto, tendría que esperar a hablar antes con Dan...

—Leah, no me digas que no.

Leah sonrió y se volvió de nuevo hacia la ventana, por si acaso J.T. podía verla.

—Sí —contestó—, sí, J.T. Me encantará salir contigo mañana por la tarde.

—Estupendo, me alegro de oírlo.

La línea permaneció en silencio mientras Leah se perdía en sus propios pensamientos. Había pasado mucho tiempo desde la última vez que había tenido una cita. Y la mera idea de salir con J.T. hacía que le cosquilleara el cuerpo entero.

Volvió a la cama y pasó la mano por el edredón.

—Pero eso será mañana, ¿y esta noche?

—Esta noche necesitas descansar, Leah, así que apaga la luz y métete en la cama. Yo vendré a buscarte mañana a las siete.

Leah deslizó la mano por la parte delantera de su camisón, como si J.T. pudiera verla. Lo cual era ridículo. J.T. no podía ver a través de las cortinas.

—¿Y tú? ¿Qué vas a hacer tú esta noche, J.T.?

Creyó oírlo tragar saliva.

—Voy a volver a casa y a darme una ducha fría. Buenas noches, Leah. Que tengas dulces sueños.

Leah se aferró con fuerza al auricular.

—Buenas noches.

Mientras colgaba el teléfono, sabía que sus sueños iban a ser muy, muy dulces.

Capítulo doce

LEAH era la mujer más bella de aquel lugar. Y a J.T. todavía le admiraba que lo hubiera elegido a él como acompañante.

—Es un restaurante muy agradable —comentó Leah con voz queda, como correspondía al ambiente de aquel lujoso restaurante de Toledo.

—¿Habías estado antes aquí? —le preguntó J.T.

—No, bueno, sí, la verdad es que sí. Nosotros... Yo solía venir mucho por aquí.

—Con Dan.

Leah evitó su mirada.

—Eh, sí.

La había hecho sentirse incómoda. Maldición. Cuando había elegido aquel restaurante, no se le había ocurrido considerar la posibilidad de que Leah pudiera haber estado allí con su ex marido.

—Podemos ir a otra parte —sugirió.

Leah lo miró con los ojos abiertos como platos.

—No, a no ser que tú prefieras ir a otro sitio.

Leah había elegido para la noche un sencillo vestido negro que en ella parecía perder toda su sencillez. Se pegaba a su estilizada silueta, realzando el profundo valle que separaba sus senos y la forma de sus piernas mientras las cruzaba y las descruzaba bajo la mesa.

—Oh, Dios mío —dijo de pronto Leah, mirando por encima del hombro de J.T.

—¿Tu ex? —preguntó J.T. tensando la espalda.

—No, peor aún. Mi hermana.

Leah quería esconderse debajo de la mesa. Y no porque se avergonzara de que la vieran con J.T., sino porque sabía que iba a tener que pagar el no haberle dicho a su hermana la noche anterior que J.T. estaba en la ciudad.

Leah no se engañaba diciéndose que Rachel no reconocería a J.T. Durante aquel largo verano de su adolescencia, su hermana, que por aquel entonces tenía catorce años y era todo ojos y piernas, los seguía como un perrito faldero a todas partes.

Y Rachel era la única que sabía que J.T. era el hombre con el que había tenido una aventura año y medio atrás.

—Mira quién está aquí, cariño —dijo

Rachel alegremente e intentando ver quién era aquel hombre moreno sin ninguna discreción—. Son Leah y...

Por fin estuvo suficientemente cerca como para ver a J.T.

—¡Oh, Dios mío! Josh, ¿eres tú?

Leah observó a J.T. mientras éste se levantaba para saludar a su hermana. Estaba particularmente atractivo con el traje negro que llevaba. Sí, había admitido Leah cuando se había montado tras él en la moto, se había arreglado perfectamente. De hecho, había tenido que hacer un gran esfuerzo para no arrastrarlo al interior de su casa y pedirle que se olvidara de la cita que habían planeado.

J.T. miró receloso a la hermana de Leah.

—Rachel, cuánto tiempo sin verte.

Tomó la mano de Rachel al tiempo que le daba un beso en la mejilla.

Leah por fin pareció recuperar sus piernas y también se levantó para saludar primero a Gabe y después a su hermana.

—Pequeño demonio —le susurró Rachel al oído mientras fingía darle un beso—. Parece que tienes problemas serios.

La tensa sonrisa de Leah se transformó en una sonrisa sincera.

—No tienes la menor idea.

Se volvieron y encontraron a Gabe y a J.T. hablando sobre las finales de la NBA. Rachel agarró a Leah del brazo y se inclinó hacia ella.

—Mmm, deliciosos, ¿verdad?

Leah no podía dejar de admitirlo. Los dos hombres eran altos, fuertes, morenos y de aspecto misterioso. Seguramente, ninguno de ellos podía pasar más de un minuto en un bar sin que alguna mujer intentara ligar con él.

Uno de los propietarios del restaurante se acercó a ellos.

—¿Prefirirían una mesa para cuatro?

Leah miró inmediatamente a J.T. Aquélla era su primera cita. No quería pasarla con su hermana y con su prometido, por mucho que los quisiera.

—Oh, claro que sí —los ojos de Rachel chispeaban de puro deleite. Y su motivación era claramente egoísta.

—La verdad es que Leah y yo estábamos hablando de que íbamos a llegar tarde al teatro —sacó dos entradas del bolsillo interior de la chaqueta, las miró y volvió a guardárselas en el bolsillo—. Otra vez será, ¿de acuerdo?

Leah prácticamente suspiró de alivio mientras su hermana le hacía una mueca. Mientras se abrazaban para despedirse, Rachel le susurró al oído:

—Tú, desvergonzada. Espero todos los detalles. Y esta misma noche, en cuanto llegues a casa.

—¿Y quién te ha dicho que voy a llegar sola? —respondió Leah, sonriendo a J.T. por encima del hombro de su hermana.

Rachel fingió sorpresa. Después, casi a regañadientes, se apartó para permitir que Leah se despidiera de Gabe. Leah agarró a J.T. del brazo e, intentando no correr demasiado, salió con él del restaurante.

—Conozco un italiano genial —le dijo riendo mientras J.T. le sostenía la puerta.

J.T. se relajó en aquel reservado de color burdeos. El restaurante italiano al que Leah lo había llevado se adecuaba mucho más a sus gustos, aunque, curiosamente, comenzaba a sentirse cómodo en cualquier lugar siempre y cuando estuviera con Leah. No había cuadros cursis de paisajes italianos en las paredes, ni falsas columnas romanas. Simplemente, un ambiente cálido en el que disfrutar de una excelente comida y una conversación agradable.

Y aquella noche, él pretendía hacer las dos cosas con la mujer que tenía frente a él.

Se quitó la chaqueta, se aflojó la corbata y se arremangó la camisa, más para evitar que la salsa de los espaguetis le manchara al traje que por la necesidad de vestir de manera más informal.

Informal… Era curioso que Leah, tal y como iba vestida, tuviera el aspecto de estar en su propia casa en aquel restaurante familiar. Era como si perteneciera a aquel lugar. J.T. no se lo esperaba. Pero comprendió que debería haberlo hecho. Incluso cuando era adolescente, Leah encajaba mejor entre los otros chicos que vivían en caravanas y tiendas de campaña que entre aquéllos que veraneaban en las enormes cabañas que rodeaban el lago.

Disfrutaron de una pizza de champiñones y salchichón y unos platos pequeños de pasta. Después de que J.T. sirviera un par de copas de vino, Leah sonrió y cruzó los brazos encima de la mesa.

—¿Qué es eso del teatro? —le preguntó.

J.T. sonrió mientras sacaba dos entradas de su chaqueta. Se las tendió. La risa de Leah tenía un curioso efecto en su estómago.

—¿Un club de comedia?

J.T. asintió y miró el reloj.

—¿Quieres ir?

Leah le devolvió las entradas.

—¿Y tú?

J.T. se encogió de hombros y volvió a guardarse las entradas en el bolsillo.

—No sé, ahora mismo estoy disfrutando mucho.

Leah sonrió de oreja a oreja, como si volviera a ser aquella adolescente que años atrás había dejado a J.T. sin aliento. Aunque aquella adolescente nunca le habría preguntado su opinión. Se habría limitado a decir que ella no quería ir.

—Yo también.

Leah se reclinó en su asiento, permitiendo así que la camarera retirara los platos y les llevara otro plato limpio para la pizza. J.T. se dijo que seguramente en aquel restaurante estaban acostumbrados a las cenas largas.

—¿Sabes? —dijo Leah con voz queda—. Ni siquiera soy capaz de contar el número de veces que me has dicho que querías hablar conmigo.

J.T. dio un largo sorbo a su copa y la miró por encima del borde.

—Ahora que tienes toda mi atención —Leah se encogió ligeramente de hombros—, dispara.

J.T. no se creyó ni por un momento que Leah se sintiera tan despreocupada como aparentaba. Los dedos temblorosos con los que jugueteaba con la servilleta traicionaban su nerviosismo. J.T. no estaba seguro de qué pensaba Leah que quería decirle, pero sabía que, fuera lo que fuera, la asustaba.

En silencio, maldijo al hombre que había convertido a Leah en una mujer tan recelosa. Aunque tuviera que admitir que quizá ese hombre fuera él.

J.T. sacudió lentamente la cabeza.

—La noche es joven. Podemos dejarlo para más tarde.

Leah se cruzó de brazos, alzando al hacerlo los senos que asomaban por el escote de su vestido negro. A J.T. le habría encantado poder deslizar la lengua por aquella cremosa piel en ese mismo instante. Lo cual lo hizo alegrarse de que estuvieran en un lugar público.

Leah sonrió.

—Entonces ¿no te importaría que te hiciera algunas preguntas?

—Dispara —contestó J.T., utilizando la misma expresión que Leah.

Leah jugueteó con la copa de vino. Cada vez estaba más seria. J.T. se tensó. Sabía lo que Leah iba a preguntarle antes de que hubiera dicho una sola palabra.

—¿De qué estás huyendo, J.T.?

J.T. fingió un repentino interés en sus manos, como si, por un momento, no las reconociera como propias.

Leah se inclinó ligeramente hacia delante y bajó la voz para evitar que cualquiera pudiera oírlos.

—Cada vez que ves un coche de policía, pareces a punto de salir disparado. ¿Tienes alguna clase de problema?

J.T. se aclaró la garganta y la miró a los ojos.

—Sí, Leah, tengo problemas.

Leah pestañeó varias veces. A lo mejor esperaba que le dijera que todo eran imaginaciones suyas. Que inventara algún tipo de historia para calmar sus miedos. Pero ése no era el estilo de J.T. Por terrible que fuera, él prefería enfrentarse a la verdad.

—¿Y puedes explicarme qué clase de problemas son exactamente?

Contestar a esa pregunta era un poco más difícil.

Leah escrutó su rostro con la mirada.

—¿Es algo serio?

—Suficientemente serio como para estropearnos la noche.

Leah miró su copa con ojos sombríos.

—¿Pero me lo dirás cuando creas que ha llegado el momento de hacerlo?

J.T. asintió.

—Sí, te lo diré.

Y se preguntaba hasta qué punto cambiaría su forma de verlo cuando lo hiciera.

Leah sentía cosquillear la piel de todo su cuerpo. Se bajó de la moto todo lo cuidadosamente que pudo, teniendo muy presente su vestido, y buscó las llaves en el bolso. La casa estaba a oscuras y muy silenciosa, al igual que el resto del barrio después de que J.T. hubiera apagado el motor de la moto. Leah sentía todavía la vibración del motor en los muslos y parecía incapaz de borrar la sonrisa de sus labios, a pesar de la carrera en la media, el pelo revuelto y la mancha de tomate en el vestido.

Aquella noche, J.T. y ella habían hablado prácticamente de todo. Leah había compartido con él toda clase de detalles, desde los más sombríos hasta los más divertidos, sobre su hija, probablemente hasta el hartazgo. Y él, por su parte, le había hablado de todos los lugares en los que había estado y de sus muchos trabajos. Rememoraron el verano en el que se habían conocido y lo que habían pensado entonces el uno del otro. Curiosamente, evitaron hablar de lo que había ocurrido año y medio atrás y toda mención a Dan o a los planes de Leah que a él le concernían. J.T. le explicó el trabajo que estaba haciendo en aquel momento en las afueras de la ciudad y ella le contó que esperaba abrir otra tienda de Women Only. Tal como había imaginado, J.T. no movió una sola ceja. Se limitó a sonreír y a comentar algo así como que se preguntaba de dónde sacaba ella aquella lencería tan atrevida.

No hablaron tampoco del problema que

tenía J.T. ni de lo que pretendía hablar J.T. con ella, que, seguramente, advirtió Leah, era lo mismo. Y saberlo le provocaba un nudo en el estómago, aunque estaba segura de que J.T. no podía haber hecho nada que fuera imperdonable. Lo sentía en lo más profundo de sus entrañas.

Ya era bien entrada la medianoche. Habían devorado el resto de la pizza, habían pedido otra botella de vino y un tiramisú para postre y después, el encargado del restaurante prácticamente había tenido que echarlos para poder cerrar. Y en aquel momento, el apetito de Leah se había orientado hacia otros alimentos menos inocentes.

Caminó hacia la puerta de su casa, siendo consciente en todo momento de la presencia de J.T. tras ella.

Había pasado la mayor parte de la mañana arreglando su dormitorio. Durante casi doce años, aquella habitación había permanecido igual. Los muebles en el mismo sitio, el mismo color de las sábanas... Pero aquel día Leah había encontrado un gran placer en cambiar todo de sitio y en comprar sábanas nuevas. Cuando había terminado, apenas reconocía la habitación. Algo que había encontrado maravilloso, sobre todo, teniendo en cuenta que tenía intención de pasar el resto de la noche con J.T.

Abrió la puerta y estaba comenzando a entrar cuando J.T. la detuvo posando la mano en su brazo.

—Y ahora es cuando yo te deseo buenas noches.

Leah pestañeó con fuerza, incapaz de comprender lo que le estaba diciendo.

—Muy gracioso.

J.T. aumentó la presión de su mano.

—No estoy intentando ser gracioso, Leah. Estoy intentando llevar esto, sea lo que sea lo que hay entre nosotros, a otro nivel.

Leah tragó saliva. J.T. estaba hablando en serio.

—Si me meto en casa contigo, los dos sabemos que no saldré hasta mañana por la mañana —la agarró de la barbilla y deslizó el pulgar por su mejilla y por su labio inferior, convirtiendo su sangre en miel caliente.

—¿Y qué problema habría? —susurró Leah con el corazón latiéndole violentamente en el pecho ante aquel delicado roce.

J.T. negó con la cabeza. Su sonrisa hizo que a Leah le temblaran las piernas.

—¿Tienes que estar mañana en algún sitio en particular?

Leah no contestó. Todavía estaba demasiado sorprendida por el hecho de que J.T. no pensara quedarse con ella.

—Prepara un par de sándwiches y una

manta y ven a mi casa a eso de las once de la mañana. Te llevaré a dar una vuelta.

Leah se estremeció pensando en lo que había ocurrido la última vez que habían ido a dar una vuelta.

—De acuerdo —susurró—. Pero esta noche...

J.T. se inclinó hacia delante y la silenció con un delicado beso.

—Buenas noches, Leah.

Leah permaneció donde estaba, muda de asombro, mientras J.T. regresaba de nuevo hasta la moto, montaba en ella y se alejaba en la oscuridad. Durante largos minutos, continuó sin moverse, intentando adivinar lo que J.T. estaba haciendo. Cualquiera diría que la estaba cortejando.

Cortejándola.

Sonrió débilmente. Aquélla era la palabra que habría utilizado su madre.

Se abrazó a sí misma con aire ausente. Hacía mucho tiempo que no pensaba en Patricia Dubois. ¿De verdad había pasado solamente un año y medio desde su muerte? ¿Y qué diría ella de J.T. y de la relación que había mantenido en el pasado con él?

Sinceramente, no lo sabía.

¿Y del hecho de que J.T. estuviera cortejándola?

Sintió un escalofrío de emoción, no exento de cierto miedo.

«A veces hay que sujetar las riendas, Leah», le había dicho Patricia en una ocasión. «Porque la vida no siempre te permite ir en el asiento del conductor».

El problema era que Leah no estaba segura de que fuera capaz de sostener las riendas.

Se volvió y entró ella sola en aquella casa enorme y vacía. El sonido de cristales rompiéndose la hizo quedarse clavada donde estaba. Se quedó helada al darse cuenta de que las luces que había dejado encendidas estaban apagadas. Alargó la mano para evitar que cerraran la puerta al tiempo que encendía la luz del vestíbulo. El jarrón que había a un lado de la mesa del recibidor con un ramo de narcisos estaba hecho pedazos en el suelo.

Aguzó el oído, pendiente de cualquier sonido que se produjera en el interior de la casa, sacó el teléfono móvil del bolso y salió al exterior. J.T. no contestaba el teléfono. Marcó otro número. Sin embargo, el teléfono de emergencias contestó inmediatamente.

—Por favor, envíen a la policía. Ha entrado alguien en mi casa.

Capítulo trece

J.T. permanecía entre las sombras del dormitorio de Leah, escuchando mientras ella veía marcharse a la policía. Después de despedirse de ella con un beso, J.T. se había alejado unas cuantas manzanas y había regresado. Tenía el cuerpo demasiado revolucionado para meterse en la cama. De modo que había aparcado la moto y había apagado el motor, preguntándose por qué estaría semiabierta la puerta de casa de Leah. Lo había averiguado poco después, cuando había visto dos coches patrulla avanzando hacia allí.

Sin pararse a pensar que podían haber ido a buscarlo a él, había bajado de la moto y había corrido hacia la policía con el corazón latiendo violentamente en el pecho y un miedo como hasta entonces nunca había conocido. Entonces había visto a Leah en la escalera de su casa, apretando el bolso contra su pecho. Y una poderosa sensación de alivio había fluido en su interior.

Entonces se habían encendido las campanas de alarma. Estaba demasiado cerca de arrojarse a los brazos de las mismas personas que amenazaban su libertad.

De manera que había permanecido oculto entre las sombras del vecindario, cerca de su Harley, observando cómo se encendían una a una las luces de la casa de Leah para después volver a apagarse mientras los policías la registraban. En cuanto terminaron con el segundo piso, J.T. había rodeado la casa, había trepado por el balcón hasta el segundo piso y una vez allí se había deslizado en el interior de la casa. Había cerrado la ventana tras él y se había metido en el dormitorio de Leah. La fragancia a flores de su perfume inundaba sus sentidos mientras esperaba a que la policía se fuera. Y creyó oír que lo estaban haciendo en aquel momento.

Se asomó a la ventana y observó en la oscuridad cómo conversaban los policías en la calle para después meterse en sus respectivos coches patrulla y alejarse de allí.

Minutos después, Leah entró en el dormitorio, iluminada por la luz del pasillo que convertía su melena en un halo alrededor de su rostro.

—No enciendas la luz.

Leah dio un respingo. Al parecer, tenía los nervios al límite.

J.T. se colocó frente a ella. Leah se arrojó inmediatamente hacia él, buscando el consuelo de sus brazos. J.T. la abrazó con fuerza.

—Alguien ha entrado en mi casa —susurró—. Todavía no sé si se han llevado nada, pero han roto algunas cosas y han revuelto los cajones.

J.T. miró a su alrededor.

—¿Han hecho algo en esta habitación?

Leah retrocedió. Aunque probablemente había acompañado a la policía durante el recorrido, era posible que no hubiera registrado lo que había visto.

—Parece que en esta habitación no han hecho nada. La policía cree que puedo haberlos interrumpido.

J.T. continuó abrazándola durante largo rato. Decenas de pensamientos rodeaban su mente, pero su principal preocupación era la seguridad de Leah y su necesidad de protegerla.

—¿Quieres venir a mi casa esta noche? —le preguntó, apartándole el pelo de la cara.

Leah lo miró en silencio durante largo rato.

—Nunca he tenido miedo de estar en mi propia casa. Y temo marcharme y no querer volver a entrar.

J.T. asintió, intentando ignorar el calor que emanaba del cuerpo de Leah y que parecía envolverlo.

—¿Puedes quedarte conmigo? —preguntó Leah.

diciones de pensar con claridad, se enfrentaría a su hija. Pero en aquel momento necesitaba concentrarse en J.T. En encontrar la forma de reparar el daño que le habían hecho.

Dan miró a Leah por última vez y después a su hija.

—Vamos, Sami.

La niña se levantó lentamente y le dio la mano a su padre. Ambos miraron a Leah como si se hubiera convertido de pronto en su enemiga.

—Tú y yo —le dijo Leah a su hija—, tendremos una larga conversación cuando vuelvas a casa. Y supongo que no necesito decirte que no va a ser una conversación agradable.

Sami no hizo ningún gesto que indicara que la había oído mientras se dirigía con Dan hacia la puerta.

En aquel momento, sintió un movimiento detrás. Leah se volvió y encontró a J.T. caminando hacia ella a grandes zancadas, más atractivo de lo que cualquier hombre tendría derecho a ser.

El estómago le dio un vuelco mientras corría a sus brazos y lo abrazaba con fuerza.

—Salgamos cuanto antes de aquí —le pidió J.T. sujetándola con fiereza.

Iba a dejarla otra vez.

Leah sabía que J.T. tenía razón. Que era sólo cuestión de tiempo el que la policía llamara a su puerta preguntando por él.

Pero no podía imaginar la vida sin él. Y, por irracional que pudiera parecer, no podía evitar la sensación de que J.T. volvía a abandonarla otra vez.

El anochecer se extendía por las increíbles llanuras que los rodeaban. La carretera vacía se le antojaba a Leah como una flecha que se alejaba de ella. Después de ir a buscarlo a la comisaría, lo había acompañado a recoger su moto y juntos habían ido hasta la casa en la que J.T. había terminado su trabajo para recoger su equipaje y su saco de dormir. A Leah le desgarraba el corazón saber que había vivido así durante los últimos diez años. Que todo lo que tenía a su nombre cabía en la parte trasera de su moto.

J.T. la había seguido después hasta su casa y habían continuado hasta el mismo lugar en el que habían hecho el amor la primera vez que J.T. había vuelto a su vida. Leah no llevaba la cazadora de su amante en aquella ocasión, sino su propio abrigo. Y el aire de la primavera parecía helarle hasta los huesos mientras permanecía sentada en la moto.

—¿Adónde irás? —susurró, respirando contra su rostro mientras él miraba hacia el oeste.

J.T. volvió la cabeza lentamente para mirarla a los ojos.

—A Phoenix.

Leah se estremeció y hundió las manos en el bolsillo del pantalón. Las preguntas se acumulaban en su mente. ¿Qué ocurriría si la policía lo estaba esperando? ¿O si no podía demostrar su inocencia? ¿O si el verdadero asesino intentaba también deshacerse de él?

Se estremeció tan violentamente que estuvo a punto de caer de la moto.

J.T. la tomó por la barbilla. Ella intentó resistirse cuando elevó su rostro hacia él.

—Llévame contigo —le pidió con fervor.

Pensaba en su padre, que estaba en el hospital. Había llamado a su hermana Rachel y ésta le había dicho que la operación había salido bien y que su padre estaba en aquel momento en recuperación. Pensó en su hija, que al parecer no se detendría ante nada con tal de impedir que ella pudiera rehacer su vida. Y pensó en el negocio que estaba pensando montar, y en su hermana, y en su casa.

Y supo en ese preciso instante que sería capaz de renunciar a todo para poder estar al lado de J.T.

Éste le dirigió una sonrisa llena de tristeza, pesar y admiración.

—No puedo hacer eso, Leah.

Leah sentía que el pecho se le henchía de emoción.

—Sí, claro que puedes. Déjame pasar por mi casa para ir a recoger algunas cosas. Y también tengo dinero. Podemos salir cuando oscurezca y no volver nunca más.

—¿Y Sami? —musitó J.T.

Leah miró hacia las manchas violetas que teñían el horizonte.

—Su padre puede cuidar de ella.

J.T. le hizo volver el rostro hacia él.

—¿De verdad podrías vivir sin saber lo que está haciendo tu hija? ¿Sin formar parte de su vida?

Las emociones que se arremolinaban en el estómago de Leah cobraron la forma de un sollozo. No, no podría. Hubiera hecho su hija lo que hubiera hecho, por terrible que fuera, no podía abandonarla.

—Quiero que me prometas que seguirás el caso de ese intruso que se metió en tu casa —dijo J.T. con voz queda—. Y si te ocurre algo, llama inmediatamente a la policía.

Leah lo miró fijamente. Le costaba comprender que estuviera preocupado por ella cuando tenía tantas cosas por las que preocuparse de sí mismo.

—Volveré, Leah —le dijo con voz queda.

Leah buscó ansiosa su rostro, deseando creerlo y al mismo tiempo, temiendo hacerlo.

J.T. se inclinó para besarla. Su boca, cálida, apasionada y tan delicada y llena de amor, llenó de ardientes lágrimas los ojos de Leah.

—¿Cómo voy a creerte? —susurró—. Si no eres capaz de limpiar tu nombre, ¿cómo voy a saber que no volverás a acercarte a mí para intentar protegerme? ¿Y qué pasará si te encierran en la cárcel? ¿Cómo me enteraré?

J.T. inclinó su frente contra la suya.

—Te escribiré pidiéndote que me envíes unas galletas.

A Leah se le revolvió el estómago.

—¿Y para decirme que no me acerque a ti?

J.T. se separó bruscamente de ella y se dirigió hacia el oeste. Su silueta, fuerte y poderosa, se recortaba contra las luces del atardecer.

—¿Y si el asesino decide matarte a ti? —susurró Leah.

Ambos sabían que todas las preguntas que Leah estaba haciendo tenían muchas probabilidades de convertirse en realidad.

—¿Qué harías tú si estuvieras en mi lugar? —le preguntó J.T. sin alterarse, y se volvió lentamente hacia ella—. Dime Leah, ¿qué crees que debería hacer?

Leah quería gritar que se quedara allí, en Toledo. Pero incluso mientras lo pensaba, sabía que era imposible. Después de la detención de aquella noche, el tiempo empezaba a correr en su contra, y cada vez a mayor velocidad. Toledo ya no era un lugar seguro para él.

Estaba tan destrozada que quería llorar de dolor. Quería decirle que se fuera a Alaska. A Canadá. A cualquier lugar en el que no pudieran arrestarlo. Pero eso significaría alejarlo para siempre de su lado.

Pestañeó para dominar las lágrimas y descubrió a J.T. frente a ella. Aquel hombre sombrío no sólo había conseguido llegarle hasta el alma, sino que se la había robado.

Escrutó su rostro.

—Mi padre es juez y mi hermana es abogada. Voy a hacer todo lo que esté en mi mano para ver de qué manera pueden ayudarte —escribió sus nombres y sus números de teléfono en un pedazo de papel que sacó del bolso—. Si no puedes llamarme a mí, llámalos a ellos cuando tengas algún problema. Te ayudarán.

J.T. sonrió con tristeza.

—Confía en mí, Leah.

Leah se mordió el labio y asintió.

Ojalá sólo tuviera que confiar en él. El problema era que no confiaba ni en sí misma ni en sus propios sentimientos, que últimamente tanto la habían traicionado. Y habían sido capaz de llevarla a un infierno del que ya nunca se libraría.

Porque J.T. la estaba abandonando otra vez.

Capítulo dieciseis

LEAH pasó una noche terrible en su casa, añorando a J.T. con cada fibra de su ser y temiendo que se hubiera ido para siempre. E imaginando que cada crujido, cada sombra, anunciaba la presencia de un intruso. A primera hora de la mañana, se acercó a la habitación privada de su padre y fue incapaz de evitar asomarse a su interior. Oyó la voz queda de Rachel mientras hablaba, pero no pudo comprender lo que estaba diciendo.

Había quedado tan lejos todo aquello que en otro tiempo le resultaba familiar y la reconfortaba... J.T. se había ido. Su casa le había parecido dolorosamente vacía al no estar Sami allí. Y su padre estaba en una cama de hospital después de haber estado tan cerca de la muerte que incluso le daba miedo pensar en ello.

El médico les había pedido a su hermana y a ella que se turnaran durante las visitas para no abrumar a su padre después de la operación. Como Rachel había pasado la mayor parte del día en la sala de espera, Leah le había dicho que entrara ella primero. Leah miró hacia el final del pasillo, donde estaba el prometido de Rachel, alto, imponente e increíblemente atractivo incluso en aquella difícil situación. Había ido al hospital aunque sabía que no iba a poder ver a Jonathon. Había volado desde California a última hora de la noche para estar al lado de la mujer a la que amaba.

Y saberlo aumentó todavía más el dolor de su corazón.

Rachel salió de la habitación y se detuvo un momento al lado de Leah. La animación había vuelto a su rostro, pero sus ojos continuaban tristes.

—¿Cómo está? —le preguntó Leah.

—Tan gruñón como siempre —Rachel se apartó el pelo de la cara—. ¿Pero por qué no juzgas por ti misma? Te está esperando.

Rachel le dio un abrazo y continuó durante unos segundos a su lado, como si quisiera preguntarle algo. Pero pareció cambiar de opinión y continuó caminando por el pasillo hasta fundirse en los brazos de Gabe.

Leah cerró los ojos un instante, intentando endurecerse para enfrentarse a lo que estaba a punto de ver.

Entró en la habitación y su mirada voló inmediatamente hacia la cama situada en una esquina.

—Aquí está —dijo su padre.

Leah, que hasta entonces no se había dado cuenta de que estaba conteniendo la respiración, dejó escapar un largo suspiro. A sus labios asomó una sonrisa.

Estaba vivo. Y, desde luego, lo parecía.

Cruzó la habitación rápidamente y le dio a su padre un beso en la mejilla.

—Papá.

Su padre la miró fijamente mientras ella retrocedía.

—Os he dado a ti y a tu hermana un buen susto, ¿verdad?

Leah casi no se atrevía a reír por miedo a terminar sollozando después de todo lo que había ocurrido en las últimas veinticuatro horas.

—Sí, supongo que podría decirse que sí.

Lo miró, lo miró de verdad.

Y vio que había vuelto a su rostro algo más que el color. Tenía mucho mejor aspecto que desde hacía mucho, mucho tiempo, a pesar de que estaba tumbado en una cama y conectado a un montón de tubos. Sus ojos estaban más alerta. Y su rostro parecía menos demacrado.

Y esa sonrisa...

—El cielo nos libre de esa sonrisa tan encantadora —susurró.

Era lo que solía decir su madre sobre el juez Jonathon Dubois cada vez que quería algo y recurría a su carisma para conseguirlo.

Su padre rió suavemente, pero una sombría expresión cubrió su semblante. Alargó la mano hacia la de su hija y se la estrechó.

—Siento que esto haya pasado tan poco tiempo después de que perdieras a tu madre.

Leah buscó su rostro, incapaz de creer lo que estaba oyendo. Su padre acababa de pasar uno de los momentos más terroríficos de su vida y estaba pensando en ella.

—¿Me estás pidiendo disculpas? Papá, sólo tienes que pedirte disculpas a ti mismo.

El juez pestañeó.

Leah luchó contra los demonios que la perseguían y dijo suavemente:

—No sabes lo preocupadas que hemos estado Rachel y yo por ti desde que murió mamá... —se le quebró la voz, le sostuvo la mano y acarició con el pulgar la piel seca de su padre—. Y me alegro de que hayas decidido luchar.

Su padre le estrechó la mano con fuerza.

—No pensarías que era tan fácil deshacerse de mí, ¿verdad?

Leah rió suavemente.

—Ahora lo que quiero saber es qué piensas hacer.

Su padre la miró con los ojos entrecerrados.

—Sé que te ocurre algo, Leah. Siempre has sido tan buena como tu madre a la hora de ocultar tus problemas: Y eso no es bueno.

Leah sonrió con tristeza.

—¿Es algo que tenga que ver con Dan?

Leah apartó la mano y buscó el recipiente con virutas de hielo que le habían dejado a su padre en la mesilla.

—De alguna manera.

—No quieres seguir adelante con el proceso de reconciliación.

Era más una afirmación que una pregunta. Leah lo miró mientras llenaba una cuchara de hielo y se la tendía a su padre. Éste aceptó una cucharada, pero rechazó la siguiente.

—No soy un inválido, Leah —la regañó suavemente.

Leah suspiró y dejó el recipiente en la mesilla.

—No, Dan y yo no vamos a reconciliarnos. Sé que no debemos estar juntos. Pero todavía no se lo he dicho.

Sintió la mirada de su padre en el rostro.

—No creo que tengas que decírselo, Leah. Lo llevas escrito en la cara desde antes de divorciarte de él incluso.

La mirada de Leah voló hacia su padre.

El juez sonrió mientras alisaba las sábanas.

—¿Qué? Pensabas que tu padre era un estúpido, ¿verdad? Que no podía darse cuenta de que no lo amas. Leah, si quieres saber la verdad, lo supe desde el primer momento.

—Pero siempre trataste a Dan como a un hijo.

Su padre asintió.

—Sí, es cierto, pero lo que siento por Dan y lo que siento por ti son cosas completamente diferentes. Y además, yo no tengo que compartir la cama con él. Y tú sí.

Leah sintió que su rostro enrojecía.

Su padre desvió la mirada hacia el techo, adoptando la expresión que ella siempre había llamado «de juez»; una expresión meditabunda, prudente y severa al mismo tiempo.

—Hace tres meses, cuando me dijiste que estabas pensando en reconciliarte con Dan, estuve a punto de sentenciarte a pasar un mes encerrada en tu habitación.

Leah se frotó las manos contra los pantalones, recordando cómo solía infligir su padre los castigos. Si alguien se olvidaba de cumplir con sus obligaciones domésticas... una sentencia de una semana lavando los platos. Si bajaban las notas... un mes sin televisión y las salidas limitadas a los fines de semana, sin ninguna posibilidad de acceso a la libertad condicional.

Pero nada, absolutamente nada, podía impedir que disfrutaran de las sesiones de baile del sábado por la tarde. Su padre encendía su vieja Vitrola y desempolvaba los antiguos discos de blues y de jazz y Rachel, su madre y Leah dejaban que Jonathon Dubois «Astaire» girara por turnos con ellas desde el estudio hasta el vestíbulo y vuelta a comenzar.

Su padre se aclaró la garganta.

—Aunque tú te creas que de tu vida y de la de Rachel nunca me ha interesado nada que fuera más allá de vuestras notas o de cómo disciplinaros, sé que estabas teniendo una aventura cuando por fin decidiste ponerle fin a tu relación con Dan.

Leah sintió crecer la tensión de su garganta. Había hecho todo lo posible para mantener aquella información en secreto. Aunque en realidad, tampoco había sido muy difícil, puesto que J.T. y ella sólo se veían a escondidas. Y muy pronto había comprendido que el hecho de que mantuvieran su relación en secreto no se debía a que J.T. sólo estuviera interesado en el sexo. Se debía a que J.T. estaba huyendo.

Y, sin embargo, al parecer todo el mundo sabía que estaba teniendo una aventura.

—¿Quién es él?

No le había formulado la pregunta en pasado, sino en presente.

—¿Lo conozco?

—La verdad es que lo conociste en una ocasión. Hace mucho, mucho tiempo.

—Ah —contestó el juez, moviéndose en la cama y haciendo una mueca cuando se tensó su pecho—. Es ese chico, Westwood.

Leah asintió lentamente.

—Intenta no moverte demasiado. Se te va a abrir el esternón.

Jonathon hizo un gesto, restándole importancia.

—Siempre pensé que era un buen chico. Espero que se haya convertido en un buen hombre.

Leah lo miró fijamente.

—Lo odiaste en cuanto lo viste.

—No, lo que odié fue que era el primer hombre con el que tenía que compartir el amor de la mayor de mis hijas. A él nunca lo odié personalmente.

A Leah se le llenaron los ojos de lágrimas.

Su padre permaneció en silencio durante largo rato, permitiendo que Leah se recuperara. El problema era que Leah no creía que fuera capaz de volver a abordar nunca más aquella conversación.

—Es la clase de hombre con el que nunca me hubieras dejado casarme —susurró.

El juez la miró fijamente a los ojos.

—Si lo recuerdas, tampoco aprobé tu matrimonio con Dan.

—Por mi edad.

—No, porque no lo amabas.

Leah pestañeó perpleja.

—Oh, tú pensabas que lo querías, pero tu madre y yo sabíamos que no era cierto —escrutó su rostro—. Ese chico, Westwood... ¿lo amas?

Leah bajó la mirada hacia sus manos y asintió.

—¿Entonces qué problema hay?

Leah nunca había hablado con su padre con tanta naturalidad sobre su vida amorosa. Ésa siempre había sido tarea de su madre. Y, cuánto echaba de menos los sensatos consejos de Patricia en aquel momento.

Miró a su padre a los ojos.

—Oh, papá, todo es un auténtico desastre. Sami lo odia. Josh está metido en un serio problema del que no puedo darte detalles ahora... Todo parece imposible.

Su padre se quedó muy callado y Leah temió que estuviera comenzando a cansarse. Pero se estaba inclinando hacia él cuando Jonathon dijo:

—¿Alguna vez te he hablado de cuando fui a Las Vegas? Fue una semana antes de casarme con tu madre.

Leah negó con la cabeza, intentando concentrarse en sus palabras.

—No, por supuesto, no te he hablado de ello. Porque todavía no estabas preparada para oírlo.

Y entonces procedió a contarle una historia que la dejó con los ojos abiertos como platos y el corazón batiéndole con renovadas esperanzas.

Cuando terminó, Jonathon alargó la mano para acariciarle la mejilla.

—Nada es imposible, Leah. Lo único que tienes que hacer es creer en ello.

La moto rugía bajo J.T. mientras atravesaba un terreno lleno de baches, tan incómodo e irregular que parecía un reflejo de su propia vida. La Harley volaba por la carretera, alejándolo de Leah, alejándolo de todo lo que le resultaba cálido y familiar, alejándolo de lo único que era importante para él. El sol estaba a su espalda y había estado conduciendo durante las últimas doce horas, parando únicamente para echar gasolina y tomarse un café y un dulce que no le habían sentado demasiado bien.

Pensó en Leah, regresando sola a su casa. Y pensó en lo preocupada que debía de estar por su padre, y en cómo iba a arreglar su relación con su hija. Y pensó en cuánto iba a sufrir por culpa suya.

Apretó los dedos sobre las empuñaduras de la moto. Su deseo de acabar con todo aquello cuanto antes lo impulsaba hacia su meta. Y necesitaba de toda su fuerza de voluntad para no forzar la moto hasta el límite. Pero lo último que necesitaba era llamar la atención de la policía. Porque tenía muchas probabilidades de terminar en la celda de cualquier pueblo diminuto, de la que Leah no tendría ninguna posibilidad de sacarlo antes de que la policía averiguara su verdadera identidad.

Le habría gustado poder parar un momento en la cuneta para llamarla. Sólo para oír su voz. Pero no iba a ceder a un deseo tan egoísta. Leah tenía razón en todas sus preocupaciones. Si J.T. no podía demostrar su inocencia, si no podía arreglar su vida o si terminaba en prisión, su relación sería... bueno, ya no podría haber ningún tipo de relación entre ellos. J.T. sabía demasiado bien lo que era vivir huyendo y jamás habría deseado algo así para Leah. Y tampoco podía tenerla esperando mientras él se pudría en una celda.

Le parecía irónico que su huida lo hubiera llevado hasta donde realmente quería estar y que después lo estuviera obligando a regresar al pasado y a solucionar un desastre del que debería haberse ocupado mucho tiempo atrás.

Pero después de diez años, ¿las pruebas contra el sheriff no habrían sido enterradas definitivamente junto a su joven e infiel esposa? ¿Habría pasado demasiado tiempo para emprender aquel viaje al pasado?

J.T. apretó la mandíbula y escrutó el horizonte con la mirada. Pero saliera como saliera, no podía dejar de hacerlo. Tenía que solucionar su vida. No sólo por él, sino también por Leah.

Habían pasado tres días desde que J.T. se había marchado. Tres días llenos de clases, tareas domésticas y visitas al hospital y a la casa de su padre para que las cosas continuaran funcionando como debían. Rachel estaba tan ocupada con los preparativos de la boda que Leah no había tenido valor para pedirle que colaborara más de lo que ya lo estaba haciendo.

Además, mantenerse ocupada la ayudaba a no pensar en J.T. y en dónde pudiera estar. O en qué podía estar haciendo.

Y le evitaba tener que hablar con su malhumorada hija.

Desde que Dan la había dejado en casa, Leah y Sami continuaban viviendo bajo el mismo techo, pero apenas habían compartido un par de palabras. Desayunaban y cenaban juntas, e incluso veían juntas la televisión por la noche, pero la extensión de su interacción verbal se limitaba a preguntas de una sola palabra y a respuestas monosilábicas. A veces, Leah creía ver cierto arrepentimiento en la expresión de su hija. Pero cuando volvía a mirarla, la descubría fulminándola con la mirada, como si su vida fuera odiosa y Leah fuera la única culpable de ello.

Pero lo que resultaba curioso era que Sami tampoco parecía estar teniendo una buena relación con su padre.

Leah, sentada a la mesa de la cocina, cerró el último de los sobres que contenía los pagos de las facturas del mes. Se reclinó en la silla y escuchó el sonido de una comedia en la televisión. Miró entonces el reloj. Eran poco más de las ocho.

Aquél era un buen momento para poner fin a la guerra fría.

Se levantó, tomó la chaqueta y el bolso y se dirigió hacia la puerta del cuarto de estar.

—Voy a salir un momento —le dijo a su hija, que estaba sentada en el sofá con los ojos pegados a la pantalla.

—¿Vas a ir a verlo?

Leah se alegró de estar lejos de su hija, porque podría haberse arruinado la vida.

—Supongo que te refieres a J.T. Pues no —no pensaba que fuera una buena idea decirle a Sami que J.T. no estaba en la ciudad. Su hija era capaz de comenzar a rezar a cualquier dios desconocido para que no volviera—. Voy a ir a ver a tu padre.

Interesante. Esperaba que Sami se alegrara de la noticia. Pero su hija pareció enfurruñarse incluso más.

Leah se puso una cazadora.

—Supongo que estaré de vuelta para las diez. Si necesitas algo, llámame al móvil.

—No necesitaré nada.

No, pensó Leah, probablemente pensaba que no necesitaba nada. Pero lo necesitaría. Y cuando ese momento llegara, Leah estaría al lado de su hija.

Y asumir esa responsabilidad significaba que tenía que arreglar las cosas con el padre de Sami cuanto antes.

Capítulo diecisiete

LEAH había estado temiendo aquella conversación con su ex marido desde que había comprendido que tendría que mantenerla. Sin embargo, mientras permanecía en aquel momento en la puerta de la casa de Dan, se dio cuenta de que ya no le importaba enfrentarse a él.

Su corazón pertenecía a J.T. Era algo tan complicado y al mismo tiempo tan simple como eso.

Durante los días anteriores había podido pensar en lo que le había dicho su padre. ¿Sería cierto que en realidad nunca había estado enamorada de Dan? ¿Que las cosas habían ido tan rápido que nunca se había detenido a examinar sus sentimientos hacia el hombre con el que había estado casada durante once años? Oh, claro que había llegado a quererlo. ¿Pero estar enamorada? ¿Realmente había llegado a estar enamorada de él? ¿O Josh Westwood le había robado el corazón muchos años atrás y ya no había podido entregárselo a Dan?

Por supuesto, tampoco podía entregárselo en aquel momento. Y aquello le recordó que

242

estaba a punto de cerrar definitivamente un capítulo viejo de su vida y de abrir un nuevo.

Levantó la mano para llamar a la puerta de Dan. Sólo conocía aquel apartamento por fuera, por las veces que había ido a llevar y a recoger a Sami. Y al pensar en ello le pareció extraño.

La puerta se abrió y Dan la miró como si fuera la última persona a la que esperaba a ver. Y probablemente lo fuera, considerando el momento que atravesaba su relación.

Leah se quitó la cazadora.

—Lo siento. Debería haber llamado antes, pero...

Dan soltó el pomo de la puerta y se enderezó. Todavía llevaba los pantalones del traje y una camisa, pero se había quitado la corbata y llevaba las mangas arremangadas. Aquella imagen le resultó a Leah extrañamente familiar.

—Sí, Leah, deberías haber llamado.

Leah hizo una mueca y miró hacia atrás. Vio entonces a una pareja que se dirigía hacia la casa de al lado.

—¿Podemos hablar un momento? —le preguntó Leah.

Dan miró tras él y eso le indicó a Leah que no estaba solo.

Y aquello la tomó completamente por sorpresa.

—No tardaré mucho —dijo, dando un paso hacia el interior de la casa.

No sabía qué era lo que se esperaba al entrar, pero, desde luego, no era lo que en aquel momento estaba viendo. Dan se había llevado tan pocas cosas cuando había abandonado su casa que Leah había pensado que probablemente vivía en una desnuda y fría casa de soltero. Y, sin embargo, se encontró con una decoración art decó ultrafemenina completada con algunas máscaras negras y rosas en las paredes y una mesa de café frente a un sillón de cuero blanco.

Leah pestañeó varias veces cuando vio salir a una mujer de lo que presumiblemente era la cocina con una bandeja en la que llevaba un cuenco de sopa y galletas saladas.

La mujer pareció quedarse tan perpleja como la propia Leah.

Aunque seguramente, se dijo Leah, ella le ganaba en perplejidad, por la sencilla razón de que la mujer estaba embarazada de por lo menos ocho meses.

—Oh... —susurró.

Dan no se había apartado de la puerta. La cerró rápidamente y se acercó a Leah, metiéndose la camisa por los pantalones en el trayecto. Era curioso, hasta entonces Leah no se había fijado en cómo estaba engordando. ¿Y estaba empezando a perder pelo o

244

eran imaginaciones suyas?

—Me alegro de que hayas venido, Leah, porque yo también pretendía hablar contigo.

Leah lo miró y miró después a la mujer que continuaba sujetando la bandeja. Comenzó a alargar la mano hacia ella, pero se detuvo e hizo un gesto de saludo.

—Hola, soy Leah.

No dijo el apellido, Burger, por temor a que pareciera que estaba reclamando su propiedad sobre Dan. Y, desde luego, no era eso lo que había ido a hacer, por mucho que la hubiera impactado ver a aquella mujer viviendo con Dan.

—Lo sé. Me alegro de poder conocerte por fin. Yo soy Glenda.

Leah sonrió. La sorpresa continuaba dominando cualquier otro sentimiento.

—Me gustaría decir que yo también me alegro de haberte conocido por fin, Glenda, pero me temo que ni siquiera sabía que existías.

Dan se volvió y le dijo algo a Glenda, que se precipitó a meterse en la cocina. Glenda miró por última vez a Leah antes de desaparecer por completo.

—Ha sido un placer conocerte, Leah —repitió.

Dan cerró la puerta de la cocina tras ella y

se volvió hacia su ex mujer.

—Bueno —dijo Leah, preguntándose si tendría los ojos tan abiertos por el asombro como a ella le parecía. Señaló hacia la cocina y después se señaló el vientre—. ¿Es tuyo?

Dan no pareció comprenderla.

—El futuro bebé —le aclaró Leah—, ¿es tuyo?

—Oh —Dan se sonrojó violentamente y se pasó la mano por el pelo. Leah tuvo entonces la certeza de que estaba perdiendo pelo.

¿No debería haberse fijado antes en ese tipo de detalles? ¿Cómo era posible que no hubiera notado nada?

—Sí, sí. Es mío.

Leah miró a su alrededor, pero no registró nada de lo que estaba viendo.

—¿Cuánto tiempo... lleváis saliendo?

No había nada en aquella casa que reflejara una vida anterior a la que compartía con Glenda. Ni un sillón, ni un aparato de música. Nada.

—Dos años.

Leah se quedó mirando de hito en hito a su ex marido. Dos años. Eso significaba que estaba saliendo con Glenda ocho meses antes de su primera aventura con J.T. Ocho meses antes de que ella hubiera empezado a pensar en pedirle el divorcio.

Bajó la mirada y descubrió que tenía las

manos hundidas en los bolsillos de la cazadora.

—Gracias por decirme la verdad —estiró el cuello—. Aunque mi vida hubiera sido infinitamente más fácil si me lo hubieras dicho antes.

Empezó a caminar hacia la puerta.

—Espera —dijo Dan con un suspiro.

Leah se detuvo, pero no se volvió.

—¿Qué habías venido a decirme?

Leah rió suavemente, sin humor.

—He venido aquí para decirte que quería suspender el proceso de reconciliación —volvió lentamente la cabeza—. En realidad no pretendías volver a casa, ¿verdad?

Dan se pasó la mano por la cara.

—Pues la verdad es que sí quería volver.

—Glenda y tú... —señaló hacia la cocina— ¿os ibais a separar?

—No, Glenda iba a quedarse en este apartamento.

Leah asintió como si lo comprendiera, pero casi inmediatamente sacudió la cabeza, como si lo que acababa de oír no tuviera ningún sentido en absoluto.

—¿Por qué?

—Porque te quiero.

Leah dio un respingo. Hasta entonces, siempre había creído a Dan, porque no había tenido ningún motivo para no hacerlo. Pero en aquel momento... Bueno, en aquel momento se preguntaba cuántas de sus palabras no debería haberse cuestionado.

Dan suspiró pesadamente.

—De acuerdo, quería que volviéramos porque he perdido mucho dinero en la Bolsa a lo largo de este año y no podía permitirme el lujo de pagar una pensión alimenticia y mantener al niño que está a punto de nacer.

—De modo que pensabas reconciliarte conmigo para poder administrar mejor tu presupuesto mensual... —exclamó Leah.

—Para eso y porque he solicitado ocupar el puesto que tu padre dejará vacante cuando abandone el Tribunal Supremo de Ohio.

Leah avanzó hacia el sofá de cuero.

—¿Te importa que me siente un momento? Creo que me estoy mareando.

Leah permaneció sentada durante largo rato, intentando asimilar todo aquello. Y pronto comprendió cuál era el motivo del resentimiento de su hija.

—Supongo que Sami y Glenda se conocieron el lunes por la noche...

—No, Sami conoció a Glenda hace un año. Pero, precisamente a causa del embarazo, he intentado que no se vieran durante todos estos meses —frunció el ceño—. Pero el lunes por la noche al final se lo dije. Y no le hizo mucha gracia enterarse de que iba a tener un hermanito dentro de dos semanas.

Nueve meses de embarazo. Glenda estaba embarazada de nueve meses.

Leah asintió. Por supuesto, a Sami no le había hecho ninguna gracia. El embarazo de Glenda había arruinado sus planes de que sus padres se reconciliaran.

Leah dejó escapar una bocanada de aire que convirtió en una mezcla de bufido y risa.

—¿Qué es lo que te parece tan gracioso? —preguntó Dan.

Leah sacudió la cabeza.

—¿Pero qué demonios nos pasa a todos? No sólo a ti y a mí, sino también a J.T., a Glenda, a todo el mundo en general. ¿Por qué nos empeñamos en hacer cosas que no deberíamos hacer jamás? —sacó las manos del bolsillo y se las pasó por la cara—. ¿Es en eso en lo único en lo que consiste la vida? Se supone que yo debería arreglarme contigo porque tenía que continuar con mi vida y, caramba, a Sami le habría gustado que su padre regresara a casa, y, al fin y al cabo, siempre hemos sido buenos amigos, con lo cual, no sería tan malo que…

Miró fijamente a su marido, como si éste pudiera darle alguna respuesta, pero él parecía tan estupefacto como ella.

Leah lo miró con los ojos entrecerrados.

—¿Qué te pasa, Dan? ¿O qué le pasa a Glenda? ¿No te parece que el bebé que lleva ella en su vientre es más importante que llegar a ser juez? ¿No crees que tanto el bebé como Glenda se merecen lo mejor? Es evidente que lleváis viviendo juntos algún tiempo. ¿No te parece que Glenda se merece que su hijo lleve tu apellido?

Se levantó del sofá.

—¿Y cuánto de lo que me estás diciendo tiene que ver con J.T. West, Leah? —preguntó a su vez Dan—. ¿O debería decir Josh Thomas Westwood?

Leah sintió que se le tensaba la garganta.

—¿Cuánto de lo que has venido a decirme esta noche sobre la necesidad de suspender el proceso de reconciliación tiene que ver con él?

—Todo y nada —susurró Leah con el corazón latiéndole salvajemente en el pecho.

—¿Y no te preocupa lo más mínimo el estar poniendo a nuestra hija en peligro cada vez que lo ves? ¿No te importa que ese hombre matara a una mujer hace diez años? ¿Que sea un fugitivo que está huyendo de la justicia?

A Leah no la sorprendía que Dan no hubiera revelado la verdadera identidad de J.T. en comisaría. Cuando le había pedido que la ayudara a sacar a J.T. de allí, estaba segura de que lo haría.

Y eso también significaba que las autoridades locales estaban al tanto de lo ocurrido y que probablemente ya se habrían puesto en contacto con la policía de Phoenix.

—No, no me importa, Dan. Y me parece que tampoco tiene por qué importarte a ti.

—Vamos, Leah, ¿qué sabes tú de ese tipo? ¿Cómo sabes que no fue él el que se metió en tu casa, te estropeó el coche y te cortó la cañería?

Leah se lo quedó mirando como si fuera un extraterrestre. Y de alguna manera lo era. Porque acababa de confesar que era él el que había hecho las tres cosas.

—¿Por qué? —le preguntó—. ¿Por qué lo hiciste?

Dan hizo un gesto de dolor y se frotó el rostro nervioso.

—¿De qué estás hablando?

—Nadie podría haber relacionado esas tres cosas intentando vincularlas a mi relación con J.T. Y la única persona que podría haberlo hecho es la responsable de las tres —ni siquiera sabía que el coche se lo habían roto intencionadamente.

Dan dejó caer los hombros.

—Lo siento, Leah. De verdad, lo siento. No sé en qué estaba pensando —se encogió de hombros. En aquel momento parecía tan pequeño que Leah lo compadeció sinceramente—. Supongo que pensé que si me necesitabas, si había alguna razón por la que tuvieras que acudir a mí...

Leah continuó mirándolo sin decir nada. Después, caminó hasta la puerta de la calle y la abrió.

—¿Glenda? —la llamó, convencida de que la otra mujer estaba escuchando desde la cocina—. Ha sido un placer conocerte. Suerte con el bebé. Se oyó caer algo con estruendo y después un quedo:

—Gracias.

Leah miró con dureza a su marido durante largo rato. Pero se dio cuenta de que no había hecho nada realmente imperdonable. Aunque sabía que le costaría algún tiempo concederle su propio perdón, no le deseaba ningún mal.

—Cásate con ella, Dan, y lucha para ser juez. Todo lo demás vendrá rodado. Ya lo verás.

Y se marchó de aquella casa con la sensación de que el mundo ya no volvería a ser el mismo nunca más.

Cuando Leah llegó a casa, la encontró en completo silencio. La televisión y todas las luces, excepto la de la cocina, estaban apagadas. Dejó el bolso en el mostrador de la cocina y se quitó el abrigo. Eran las nueve en punto. Normalmente, comenzaba a pedirle a Sami que se metiera en la cama a las nueve y, alrededor de las diez, la niña consentía en subir a su dormitorio, donde solía pasar un buen rato hablando por teléfono o haciendo los deberes.

Por supuesto, últimamente su relación con su hija era de todo menos normal.

Leah se quitó los zapatos, subió las escaleras, dejó los zapatos en su dormitorio y continuó avanzando hasta la habitación de Sami. Escuchó un momento y llamó. No obtuvo respuesta. Llamó de nuevo a la puerta.

—Sami, voy a entrar.

Abrió la puerta y encontró a Sami tumbada boca abajo en la cama, con un par de auriculares en los oídos. Leah podía oír la música que estaba escuchando desde la puerta y estaba convencida de que su hija ni siquiera la había oído llamar.

Dio un paso adelante y se sentó en la cama. Sami por fin se dio media vuelta y la miró.

—¿Puedo hablar contigo cinco minutos? —le preguntó Leah.

Sami la miró con el ceño fruncido.

Leah alargó la mano y levantó uno de los auriculares. El sonido mecánico de la música tecno era casi ensordecedor.

—He dicho que si podemos hablar cinco minutos.

Sami se quitó los auriculares con desgana y se incorporó. Se sentó en la cama y apoyó la espalda contra el cabecero.

—¿Qué quieres? —le preguntó con aquel mohín al que Leah había tenido que acostumbrarse durante las últimas semanas.

Leah se aclaró la garganta e intentó dominar la ira que comenzaba a elevarse en su interior.

—Creo que tú y yo hace tiempo que deberíamos haber tenido una conversación para aclarar lo que ocurrió el otro día.

Sami se removió incómoda en la cama.

—He estado esperando una disculpa, pero hasta ahora no he visto nada que indicara que pensabas ofrecérmela.

Su hija jugueteaba con el aparato de música. Leah se lo quitó, lo apagó y se lo devolvió.

—Lo siento —dijo Sami malhumorada.

Leah se cruzó de brazos.

—Vaya, sí que ha sonado como una disculpa sincera.

Sami suspiró y posó las manos a ambos lados de su cuerpo.

—¿Qué quieres que diga? ¿Que fue una estupidez y que no pretendía que arrestaran al señor West y que… que…?

Leah espero.

—¿Y qué?

Sami se arrojó entonces a sus brazos.

—Y que, por favor, por favor, hagas lo que hagas, no me mandes a vivir con papá.

Leah supuso que aquélla era la noche de las sorpresas. Porque si alguien le hubiera dicho dos minutos antes de entrar en la habitación que su hija se iba a arrojar sollozando a sus brazos, le habría respondido que estaba completamente loco.

Pero allí estaba Sami, empapando de lágrimas la blusa de Leah y aferrada a sus brazos.

Leah sacó delicadamente el brazo derecho y comenzó a acariciar el pelo de su hija. Era tan suave, ¿cuánto tiempo habría pasado desde la última vez que había acariciado a Sami de esa manera? ¿Un año? ¿Más tiempo quizá?

—Tengo entendido que tuviste una conversación con Glenda el lunes por la noche.

Sami no se movió durante un largo rato. Después, asintió y miró a su madre a la cara.

—¡Van a tener un bebé!

Leah sonrió suavemente.

—Sí, lo sé. Eh, bueno, resulta difícil no notarlo.

Sami bajó la mirada.

—Papá me hizo prometerme que no te lo diría.

—Mmm, ya me lo imagino.

—¿Y estás enfadada?

Leah pensó en ello seriamente. ¿Estaba enfadada?

—No, sorprendentemente, no estoy enfadada. Pero sí sorprendida —le colocó un mechón de pelo detrás de la oreja—. Las cosas entre tu padre y yo terminaron hace mucho tiempo, Sami.

Sami cruzó las piernas y la miró con las manos en el regazo.

—Sí, bueno, me habría gustado que alguien me lo contara.

Leah soltó una risa que le mereció una dura mirada de su hija.

—Me río porque tienes razón. Creo que las cosas habrían ido muchísimo mejor si los tres nos hubiéramos sentado a hablar hace mucho tiempo.

Dios, no podía recordar cómo era a los once años. Pero sabía que a la edad de Sami todo adquiría las dimensiones de las más terribles tragedias griegas.

—¿Te importa que te haga una pregunta, Sami?

Su hija la escrutó con la mirada.

—Y quiero que seas sincera.

Sami sorbió. Se pasó la mano por la nariz húmeda y asintió.

—¿Por qué no te gusta J.T.?

Aparentemente, su hija había pensado que la pregunta estaría relacionada con su padre. Estiró las piernas en la cama.

—Ni siquiera conozco a J.T. lo suficiente como para que no me guste.

Leah se movió para sentarse a su lado.

—Bueno, en ese caso, perdóname, pero no entiendo por qué hiciste que lo arrestaran —palmeó la almohada para que Sami se acercara a ella—. Vamos, intenta explicármelo.

Sami se tumbó al lado de su madre.

—No sé por qué lo hice, mamá. Me extrañó verlo allí. Él me dijo que le había pasado algo al abuelo y bueno… tenía las manos tan sucias que… me asusté.

Leah asintió.

—Continúa.

Sami la miró.

—Eso es todo.

—Así que ésa es la razón por la que lo acusaste de intentar secuestrarte.

Sami tuvo la deferencia de mirarla con expresión de culpabilidad. Se volvió y bajó la mirada hacia sus pies.

—No lo sé —se encogió de hombros, moviendo la cama al hacerlo—. Creo que a lo mejor es porque pensé que erais muy amigos y eso me hacía sentirme como me siento cuando papá está con Glenda.

Leah frunció el ceño. Aquello sí que era interesante.

—Así que a lo mejor no te gustaba que conociera a J.T. por lo que podría pasar con mi relación contigo.

Sami volvió a encogerse de hombros.

—Supongo. Me refiero a que era como el secreto de papá. La única diferencia era que tú no me pediste que no le hablara a papá de eso.

Y lo había sentido como si fuera un gran secreto precisamente porque lo era.

Durante todos sus encuentros clandestinos con J.T., Leah nunca se había parado a pensar que quizá su hija pudiera sentirse excluida.

Por supuesto, había otros factores que considerar. Como el hecho de que Leah tampoco hubiera estado preparada para recibirlo en su casa hasta muy recientemente.

Posó la cabeza contra la frente de su hija, como hacían Rachel y ella cuando querían hablar de corazón a corazón.

—Sabes que, suceda lo que suceda, siempre te querré, ¿verdad, guisantito?

Sami elevó los ojos al cielo al oírla utilizar su antiguo apodo.

—Por favor, no me llames así, mamá.

—¿Y bien? Todavía no me has contestado.

Sami inclinó la cabeza de tal manera que la barbilla casi se le clavaba en el pecho.

—Sí, lo sé.

—Y tienes que saber que, esté donde esté, tú siempre serás bienvenida, ¿de acuerdo?

Sami la miró fijamente.

—¿Vamos a mudarnos?

Leah consideró aquella pregunta durante largo rato y al final asintió.

—Quiero que me prometas, algo, Sami —dijo quedamente—. Quiero que me prometas que, te sientas como te sientas, siempre vendrás a mí cuando algo te inquiete. No quiero que sigas guardándotelo todo. No es bueno —hundió la nariz en el pelo de su hija—. Además, me está empezando a preocupar que ese ceño te haga parecer una anciana a la avanzada edad de once años.

Sami rió y se acurrucó entre los almohadones.

Ambas permanecieron así durante un buen rato, sin decir nada en particular. Había pasado mucho tiempo desde la última vez que Leah pasaba un rato en la habitación de su hija y se dijo que ya iba siendo hora de que comenzaran a compartir más momentos como ése. Miró alrededor de aquella habitación decorada en rosa y se preguntó si no habría llegado también la hora de que la habitación de Sami reflejara a la mujer en la que pronto se iba a convertir.

La voz de Sami le acarició el oído.

—Te quiero, mamá.

Leah se volvió hacia ella y la abrazó.

—Yo también te quiero —y, aunque había echado mucho de menos a su hija, no iba a decir nada. Le bastaba con saber que había vuelto a ella.

Capítulo dieciocho

HABÍAN pasado tres semanas y Leah no tenía ninguna noticia de J.T.

Se descubrió a sí misma rascándose el brazo cuando estaba haciendo el último examen de Humanidades, la prueba que determinaría si conseguiría el título de Empresariales.

Sintió que se le ponían los pelos de punta. Miró lentamente hacia atrás, pero no vio nada, salvo los rostros que veía durante todos los días de clase.

Suspiró y volvió a concentrarse en el examen. El único problema era que cada vez que pestañeaba, veía el atractivo rostro de J.T. frente a ella. Y con cada hora que pasaba, con cada segundo, aumentaba su miedo a no volver a verlo nunca más. A no poder volver a disfrutar de sus caricias. A no poder fundirse en uno de sus besos.

Tragó saliva y giró la hoja, aunque todavía no había terminado de contestar la página anterior. El dolor que había comenzado a sentir en el momento en el que lo había visto alejarse en la motocicleta se había convertido en un dolor permanente que formaba parte de todo lo que hacía. Podía reír con las bromas de su padre sobre su reciente operación. O dedicarse a chismorrear con Rachel cuando almorzaba con ella. O disfrutar del tiempo que pasaba con su hija. Pero se descubría muchas veces con la mirada perdida, mirando hacia la nada, esperando algo que estaba empezando a temer que quizá nunca volvería a tener.

Había llegado un momento en el que ya no había sido capaz de conformarse con esperar. Pero ni su padre ni su hermana habían conseguido más información de la que ella tenía. De modo que, la semana anterior, había llamado a un detective privado de Phoenix para contratar sus servicios con el fin de encontrar a J.T. Dos días después, el detective la había llamado diciéndole que no había encontrado ningún rastro de aquel hombre.

Leah había colgado el teléfono temblando y con el corazón latiéndole violentamente.

Se decía a sí misma que el hecho de no saber nada de él era lo que más la afectaba. Estaba preparada para cualquier cosa que pudiera ocurrir. Pero no saber lo que estaba pasando, no saber si J.T. continuaba huyendo de ciudad en ciudad, la estaba destrozando.

Si al final había descubierto que no había ninguna forma de demostrar su inocencia y había llegado a la conclusión de que continuar fugitivo era su única opción, lo menos que quería ella era saberlo. Quería oír su voz por última vez antes de resignarse al hecho de que no volvería a verlo nunca.

Anhelaba algo, cualquier cosa que la sacara de aquella ignorancia infernal.

Dos horas más tarde, sonó el timbre del aula, señalando que había llegado el momento de entregar el examen.

Leah pestañeó y cerró lentamente el cuadernillo del examen. Apenas recordaba una sola de las respuestas que había escrito durante las últimas dos horas. Pasó el cuadernillo hacia delante, reunió sus cosas y se dirigió hacia la puerta.

Mientras salía de la universidad de Toledo, le resultaba extraño que el sol continuara brillando en el cielo. Extraño que el mundo continuara girando como siempre, mientras su vida parecía haberse detenido. Se dirigió hacia el coche, pensando en los planes que tenía para poder llenar aquel día.

Una vez en el coche, en vez de dirigirse hacia su casa, condujo hacia la casa en la que había estado trabajando J.T. antes de abandonar la ciudad.

Se detuvo frente a ella y contempló con los ojos entrecerrados aquel edificio victoriano de dos pisos bajo el sol del medio día. Al parecer, los propietarios ya habían decidido ocuparlo, pues vio a una joven intentando atrapar a un pequeño de unos dos años que corría por el jardín, desprovisto de pañales y con los rizos al viento, mientras otro niño jugaba con un cocker spaniel a sólo unos metros de él.

Leah sonrió con pesar. ¿Podría haber sido aquel niño un hijo suyo y de J.T. si las cosas hubieran sido diferentes? ¿Si su padre no hubiera cambiado de ciudad durante aquel verano, llevándose a J.T. a un lugar diferente y haciendo que ella terminara casándose con Dan?

Se llevó la mano al vientre. Secretamente, había esperado haberse quedado embarazada como resultado de aquella irresponsable noche de pasión. Pero había tenido el período una semana y media atrás, lo que había dejado sus esperanzas por los suelos.

Por supuesto, seguramente la pobre Sami habría salido en estampida si hubiera sabido que su madre estaba embarazada tan poco tiempo después de que su padre hubiera tenido un hijo.

Leah suspiró profundamente. Dan había tenido un bebé. Había llevado a Sami al hospital para ayudarla a aceptar a su hermanito sin esperar que el bebé despertara en ella ningún sentimiento en particular. Y tampoco albergaba ningún otro sentimiento hacia su marido. Desde luego, sabía que nunca podría ser nada más que el padre de Sami. Pero había algo en la promesa de fundar una nueva familia que hacía que se le acelerara el corazón y su cuerpo anhelara algo que ella evitaba nombrar.

Sorprendentemente, en cuanto Sami había visto al bebé a través del cristal lo había adorado. Leah dudaba que su hija pudiera compartir nunca con su padre la cercanía que, como madre, habría deseado para ella. En realidad, ella misma adoraba a su padre, pero no podía decirse que hubieran sido amigos. De hecho, siempre era a su madre a quien acudía cuando tenía algún problema. En cualquier caso, se alegraba de que Sami estuviera empezando a forjarse su propio camino entre ambas familias y hubiera dejado de conspirar para volver a unirlos.

Dan y Glenda iban a casarse en una sencilla ceremonia la semana siguiente y Sami iba a ser la dama de honor.

«Nada es imposible, Leah, sólo tienes que creer en ello».

Recordaba las palabras que le había dicho su padre el día que había salido del quirófano.

Y también recordaba la historia que le había contado.

Leah se movió en el asiento del coche y miró hacia la carretera, intentando imaginarse a su padre como ella nunca lo había conocido. Intentando verlo como un joven de veintitrés años una semana antes de casarse con la mujer a la que siempre había amado, su madre. Intentó imaginarlo llevando su mejor traje y aceptando la propuesta de sus amigos de volar a Las Vegas para celebrar allí su despedida de soltero.

No la había sorprendido que a su padre no lo hubiera atraído el juego mientras que sus amigos habían pasado todo el fin de semana en las diferentes mesas de apuestas.

Lo que la había sorprendido realmente era que se hubiera enamorado de una corista que se había roto el tobillo durante el primer espectáculo y había caído desde el escenario para aterrizar en el regazo de Jonathon.

Su padre le había contado que había intentado razonar para dominar su atracción hacia aquella joven. Que intentaba recordarse a sí mismo que, en menos de una semana, iba a casarse con la mujer a la que amaba. Pero su corazón se negaba a oír lo que su mente estaba intentando decirle y se había pasado los tres días con ella, explorando sentimientos que no había experimentado hasta entonces. Un entusiasmo y una ligereza que lo atraían y lo asustaban al mismo tiempo.

Y había sido ese miedo, y su propio sentido del deber hacia su prometida, el que lo había hecho montarse en el avión el domingo por la noche y prometerse vehemente no volver a mirar nunca al pasado.

El problema era que había mirado al pasado. Y a menudo. Se había descubierto tumbado en la cama a la noche siguiente, al lado de su esposa, preguntándose qué habría sido de aquella hermosa mujer que le había robado la respiración y un pedazo de su corazón durante aquel fatídico fin de semana.

No, nunca había pensado en volver a ponerse en contacto con ella. Hasta que había muerto su esposa y su vida había quedado vacía y oscura.

—No creo que hubiera funcionado. La vida que había planeado para mí, mi carrera como juez, no habría ido a ninguna parte si me hubiera casado con una corista —le había dicho a Leah mientras permanecía en la cama del hospital tras haber estado todo lo cerca de la muerte que podía llegar a estar una persona—. Y aunque no me arrepiento de la vida que he vivido con vuestra madre y con vosotras, a veces me pregunto qué habría pasado si no hubiera montado en ese avión.

Leah pestañeó varias veces y volvió la cabeza para mirar a la joven madre que jugaba delante de la casa con su hijo. La mujer se había llevado la mano a la frente para protegerse del sol tras haber visto a aquel coche solitario en la carretera y a la mujer que miraba constantemente en su dirección. Leah la saludó con la mano, volvió a poner el coche en marcha y se dirigió hacia su casa.

Tenía la sensación de que ella también se estaba montando en su propio avión y dejando algo muy preciado tras ella.

Más tarde, esa misma noche, después de haber terminado de cenar y de haber atendido las tareas domésticas, y después de que Sami hubiera subido a su habitación para acabar los deberes antes de irse a la cama, Leah marcó en su calendario mental un nuevo día sin J.T.

Sus movimientos carecían de energía mientras sacaba los últimos platos del lavavajillas y se aseguraba de que había todo lo que iban a necesitar para desayunar y almorzar al día siguiente Sami y ella.

Faltaba pan.

Se inclinó contra el mostrador, con la mirada fija en la panera vacía, intentando no pensar en lo vacío que sentía su interior.

E intentando no recordar que había sido precisamente una rápida escapada a comprar pan lo que había devuelto a J.T. a su vida.

Cerró la panera con un rápido movimiento. Podría darle a Sami dinero para que se comprara el almuerzo del día siguiente.

¿Y las tostadas del desayuno?

Se volvió y sacó un paquete de bizcochos del congelador. La bolsa golpeteó contra la encimera.

Los hombros parecieron hundírsele mientras se sentaba en un taburete al otro lado del mostrador y apoyaba la cabeza entre las manos. Siempre se sentía así a esa hora del día. Cuando caía la noche y ya no le quedaba nada que hacer, nada con lo que llenar al tiempo. A menudo, terminaba durmiendo en el sofá del cuarto de estar para no tener que soportar la tortura de subir a esa enorme cama que continuaba oliendo a J.T., por muchas veces que hubiera cambiado las sábanas.

En ocasiones como aquélla, el monstruo de la autocompasión, que Leah procuraba mantener a distancia, rompía las barreras que lo contenían y corría salvajemente hasta ella, diciéndole que todo parecía estar saliéndole bien a todos los demás. Rachel iba a casarse con un hombre maravilloso en menos de un mes. Su padre llevaba por un excelente camino su recuperación y tenía mejor aspecto que nunca. Las notas de Sami habían mejorado y Leah sospechaba que su hija estaba enamorada de uno de sus compañeros de escuela. Incluso Dan se había casado con una mujer cuya existencia desconocía Leah hasta hacía sólo unas semanas. Una mujer que acababa de darle otro hijo.

Pero ella...

Ella iba viviendo como si tuviera un piloto automático. Había terminado los estudios, intentaba hacer avanzar los planes para abrir una franquicia de Women Only en menos de dos meses y cuidaba con especial cariño de su hija.

Y lloraba sobre el mostrador de la cocina por algo tan estúpido como quedarse sin pan.

—Una de las cosas que jamás he podido soportar es ver llorar a una mujer hermosa.

Leah alzó bruscamente la cabeza mientras hipaba y se pasaba las manos por la cara para secarse las lágrimas. Aquella voz completamente masculina e indescriptiblemente embriagadora había sonado justo tras ella.

Y no se atrevía a darse la vuelta por miedo a descubrir que no era más que una jugada de su imaginación.

Algo le rozó el pelo y se estremeció. Cerró los ojos y un gemido escapó de su garganta.

—Me gustaría prometerte que no tendrás que volver a llorar jamás, pero no creo que pueda —continuó diciendo aquella voz.

Sonaba tan cerca de ella que Leah comenzó a temblar—. Lo que puedo prometerte es que tus lágrimas ya nunca serán de preocupación por mí.

Oh, Dios, J.T...

Leah giró bruscamente y se arrojó a los brazos de aquel hombre por el que había estado tan preocupada. Aquel hombre al que había echado tanto de menos que se sentía como si le hubieran amputado un brazo, el hombre que había llenado su corazón y la perseguía en sueños. Se aferró a él con todas sus fuerzas, como si no estuviera dispuesta a dejarlo marchar nunca jamás.

Y no pensaba hacerlo. Otra vez no. Nunca.

J.T. reía suavemente mientras deslizaba el dedo por su barbilla para hacerle mirarlo a los ojos. El pulso se le aceleró y una oleada de sensaciones extremadamente familiares se apoderó de su cuerpo mientras fijaba la mirada en aquellos ojos castaños.

Había vuelto a su lado.

Y estaba besándola.

Estaba besándola tan profunda, meticulosa y apasionadamente que Leah tenía la sensación de que se le iba a romper el corazón. Y en ese instante supo que lo que su padre le había dicho en el hospital después de haber sido operado era cierto. El amor, el verdadero amor, nunca podría ser negado o ignorado. Porque tenía vida propia.

Y ella amaba a J.T. con todo su ser.

Enmarcó su rostro con las manos y retrocedió ligeramente. Las lágrimas borraban las tan adoradas facciones de J.T. y pestañeó rápidamente para enfocar la mirada. Por un instante, sintió pánico. ¿Habría ido para despedirse definitivamente de ella?

La sonrisa dulce y cariñosa de J.T. le derritió las entrañas.

—¿Has vuelto... para siempre?

J.T. deslizó la mano por su mejilla, como si fuera incapaz de creer que estaba acariciándola otra vez.

—He vuelto... para siempre.

Leah se fundió de nuevo en un abrazo, olvidándose inmediatamente de los largos e implacables tormentos de las últimas tres semanas. Apartó el recuerdo de su lecho frío y vacío, y todas las dudas y los miedos que hasta entonces la envolvían.

—¿Qué ha pasado? —apenas fue capaz de susurrar—. ¿Ya ha terminado todo?

—Sí, todo ha terminado, cariño. Todo ha terminado.

Leah retrocedió y buscó su rostro.

J.T. le tomó la mano y tiró de ella para que se levantara.

—El sheriff Dumont está entre rejas, que

es donde debería haber estado hace mucho tiempo.

Leah había vivido con el miedo de perderlo durante tanto tiempo que casi no se atrevía a creérselo.

—Pero... ¿cómo?

J.T. le dio un beso en la frente.

—Al parecer, nuestro antipático sheriff volvió a casarse con una joven. Y cuando su relación comenzó a deteriorarse hace año y medio, ella llegó a temer por su vida. Y con buenas razones. Al parecer, Dumont pensó que si había podido hacerlo la primera vez, la segunda sería coser y cantar. El fiscal del distrito de Arizona no hizo nada cuando la segunda esposa del sheriff denunció sus temores. Por lo menos hasta que aparecí yo en escena. Yo era la última pieza que necesitaban para poner toda la maquinaria en movimiento. Ayudé al departamento de policía de Phoenix a tenderle una trampa. Gracias a mi provocación, conseguimos una cinta de vídeo en la que Dumont no sólo explicaba los planes que tenía para su nueva esposa, sino que daba una detallada descripción de cómo se había deshecho de la primera.

Deslizó las manos por su espalda y la presionó contra él, haciéndola consciente de cada centímetro de su cuerpo y de lo mucho que la deseaba. Al menos eso parecía por el rígido bulto que, a través de la cremallera de los pantalones, presionaba contra el vientre de Leah.

—No pensaba decírtelo, pero quiero que sepas que he traído a la esposa del sheriff a Toledo. ¿Te importaría que trabajara en tu nueva tienda?

En la mente de Leah apareció la imagen de J.T. con la primera esposa del sheriff.

J.T. le sonrió.

—Pequeña, de ese tipo de cosas nunca tendrás que preocuparte. He nacido para amarte y moriré queriéndote —la besó, transmitiéndole con sus labios la verdad que encerraban sus palabras—. Para mí, no hay ninguna otra mujer en el mundo.

El cuerpo entero de Leah se henchía de amor y pasión.

—Y voy a hacer todo lo que esté en mi mano por ti. Y también por Sami. Voy a seguir trabajando, pero también empezaré a estudiar para sacar ese título en ingeniería que siempre...

—Mamá yo...

Sami.

Leah se dijo a sí misma que debería separarse de J.T. para hablar con su hija. Pero le resultaba imposible apartarse de sus brazos mientras miraba a Sami. Ésta los miraba a su vez con evidente confusión.

Leah temió entonces que el regreso de J.T. pudiera hacer retroceder todo lo que tan trabajosamente había progresado en su relación con Sami.

Pero Sami continuó avanzando, miró a J.T. y dijo:

—Me alegro de que hayas vuelto. A lo mejor así mi madre ya no se pasa todas las noches llorando.

A Leah ya no le quedó más remedio que creer en la fuerza del amor. Creyó que J.T. había vuelto para siempre. Que su hija había comenzado a aceptarla como persona, y no sólo como madre. Comenzó a creer que ellos, los tres, se habían convertido en una familia cargada de promesas... y temió que el corazón fuera a estallarle.

Epílogo

UN mes más tarde...
Rachel debía de ser la novia más hermosa sobre la que Leah había posado sus ojos. Sin embargo, ella podía competir con su hermana por el título a la más feliz. Y, seguramente, el título habría sido para ella, porque el día después de que J.T. hubiera regresado a la ciudad en su Harley, la había llevado a los juzgados del condado y, en menos de una hora, se había convertido en la mujer de Josh Thomas Westwood, algo que parecía haber estado esperando durante toda su vida.

Jonathon Dubois acababa de llamar a la puerta para decirles a sus hijas que estaba esperando en el pasillo, dispuesto a conducir a la menor de las hermanas hasta su prometido.

Rachel bajó la voz, aunque Leah estaba segura de que nada podía penetrar la gruesa madera de la puerta y la piedra de las paredes.

—No puedo creer que papá haya renunciado a su cargo en el Tribunal Supremo y piense marcharse mañana a Las Vegas

—dijo, mientras se arreglaba el velo frente al espejo de la antecámara de la iglesia de St. Joseph—. No entiendo en qué puede estar pensando.

Leah miró el reflejo de su hermana y tiró suavemente del velo para ponerlo en la posición correcta.

—No está pensando, está sintiendo —abrazó a su hermana por la espalda—. Que es lo que deberías estar haciendo tú en este momento, y no pensando en los planes de papá.

La sonrisa de Rachel podría haber rivalizado en luminosidad con las luces de París.

—Tienes razón.

Leah deslizó las manos por los brazos de su hermana, envidiando aquella piel sin mácula.

—Yo siempre tengo razón.

Las dos hermanas se sonrieron la una a la otra durante largo rato en el espejo, disfrutando del momento, de los pocos minutos que quedaban antes de que Rachel se casara con el hombre al que amaba, de que las palabras «sí, quiero», transformaran su vida para siempre.

—¿Crees que la encontrará? —preguntó Rachel.

Leah no tuvo que preguntar de quién estaba hablando. Sabía que se refería a la joven corista con la que su padre había tenido una aventura justo antes de casarse y a la que, desde entonces, no había sido capaz de olvidar.

—No sé, pero creo que es bueno que intente encontrarla.

Rachel asintió, y sus facciones se ensombrecieron.

Leah escrutó el rostro de su hermana.

—¿Qué te pasa?

Rachel pestañeó y permaneció en silencio un instante antes de encogerse lentamente de hombros.

—No sé... Supongo que hoy, que habría dado cualquier cosa porque mamá estuviera aquí, me resulta difícil imaginarme a papá con otra mujer.

Leah acarició las flores de encaje del vestido de su hermana.

—Lo sé.

Los metros y metros de tela del vestido de novia susurraron cuando Rachel se volvió hacia su hermana.

—¿Qué crees que diría si estuviera aquí ahora, Leah?

Leah sonrió mientras tomaba el ramo de rosas de color melocotón y se lo tendía su hermana.

—Probablemente que no deberías hacer esperar a un novio tan guapo.

Rachel se levantó, haciendo que su hermana contuviera la respiración ante su hermosura.

Leah la abrazó y le susurró al oído:

—Sé exactamente lo que te diría, Rachel. Te diría que salieras, que te casaras con ese hombre y vivieras plenamente todos los momentos de tu vida.

—¿Tú crees?

Leah asintió.

—No lo creo, lo sé.

Las hermanas se abrazaron otra vez y se volvieron hacia la puerta. Rachel se detuvo a medio camino y miró por encima del hombro.

—Oh, por cierto, espero que esa enorme caja envuelta en papel de Women Only que he visto en tu coche esta mañana sea para mí.

Leah sonrió y alisó la seda roja de su vestido antes de salir a reunirse con su adorado marido y con su hija en el primer banco de la iglesia, preguntándose por qué no habría más gente decidida a vivir la vida de corazón y a olvidarse de lo que pudiera decirles la cabeza.